초등 수학 전문가가 만든 연산 교재

원리셈

뺄셈구구

교과 과정 완벽 대비
수학 전문가가 만든 연산 교재
다양한 형태의 문제로 재미있게 연습하는 원리셈

지은이의 말

수학은 원리로부터

수학은 구체물의 관계를 숫자와 기호의 약속으로 나타내는 추상적인 학문입니다. 이 점이 아이들이 수학을 어려워하는 가장 큰 이유입니다. 이러한 수학은 제대로 된 이해를 동반할 때 비로소 힘을 발휘할 수 있습니다. 수학은 어느 단계에서나 원리가 가장 중요합니다.

수학 교육의 변화

답을 내는 방법만 알아도 되는 수학 교육의 시대는 지나고 있습니다. 연산도 한 가지 방법만 반복 연습하기 보다 다양한 풀이 방법이 중요합니다. 교과서는 왜 그렇게 해야 하는지 가르쳐 주고 다양한 방법을 생각하도록 하지만, 학생들은 단순하게 반복되는 연습에 원리는 잊어버리고 기계적으로 답을 내다보니 응용된 내용의 이해가 부족합니다.

연산 학습은 꾸준히

유초등 학습 단계에 따라 4권~6권의 구성으로 매일 10분씩 꾸준히 공부할 수 있습니다. 원리와 다양한 방법의 학습은 그림과 함께 재미있게, 연습은 다양하게 진행하되 마무리는 집중하여 진행하도록 했습니다. 부담 없는 하루 학습량으로 꾸준히 공부하다 보면 어느새 연산 실력이 부쩍 늘어난 것을 알 수 있습니다.

개정판 원리셈은

동영상 강의 확대/초등 고학년 원리 학습 과정 강화 등으로 교과 과정을 완벽하게 대비할 수 있도록 원리와 개념, 계산 방법을 학습합니다. 단계별 원리 학습은 물론이고 연습도 강화했습니다.

학부모님들의 연산 학습에 대한 고민이 원리셈으로 해결되었으면 하는 바람입니다.

지은이 천종현

원리셈의 특징

원리셈의 학습 구성

한 권의 책은 매일 10분 / 매주 5일 / 6주 학습

원리셈의 시나브로 강해지는 학습 알고리즘

초등 원리셈은

시작은 원리의 이해로부터, 마무리는 충분한 연습과 성취도 확인까지

체계적인 학습 구성

쉽게 이해하고 스스로 공부!
실수가 많은 부분은 별도로 확인하고 연습!
주제에 따라 실전을 위한 확장적 사고가 필요한 내용까지!
원리로 시작되는 단계별 학습으로 곱셈구구마저 저절로 외워진다고 느끼도록!

원리셈 전체 단계

키즈 원리셈

5·6세	
1권	5까지의 수
2권	10까지의 수
3권	10까지의 수 세어 쓰기
4권	모아 세기
5권	빼어 세기
6권	크기 비교와 여러 가지 세기

6·7세	
1권	10까지의 더하기 빼기 1
2권	10까지의 더하기 빼기 2
3권	10까지의 더하기 빼기 3
4권	20까지의 더하기 빼기 1
5권	20까지의 더하기 빼기 2
6권	20까지의 더하기 빼기 3

7·8세	
1권	7까지의 모으기와 가르기
2권	9까지의 모으기와 가르기
3권	덧셈과 뺄셈
4권	10 가르기와 모으기
5권	10 만들어 더하기
6권	10 만들어 빼기

초등 원리셈

1학년	
1권	받아올림/ 내림 없는 두 자리 수 덧셈, 뺄셈
2권	덧셈구구
3권	뺄셈구구
4권	□ 구하기
5권	세 수의 덧셈과 뺄셈
6권	(두 자리 수)±(한 자리 수)

2학년	
1권	두 자리 수 덧셈
2권	두 자리 수 뺄셈
3권	세 수의 덧셈과 뺄셈
4권	곱셈
5권	곱셈구구
6권	나눗셈

3학년	
1권	세 자리 수의 덧셈과 뺄셈
2권	(두/세 자리 수)×(한 자리 수)
3권	(두/세 자리 수)×(두 자리 수)
4권	(두/세 자리 수)÷(한 자리 수)
5권	곱셈과 나눗셈의 관계
6권	분수

4학년	
1권	큰 수의 곱셈
2권	큰 수의 나눗셈
3권	분모가 같은 분수의 덧셈과 뺄셈
4권	소수의 덧셈과 뺄셈

5학년	
1권	혼합 계산
2권	약수와 배수
3권	분모가 다른 분수의 덧셈과 뺄셈
4권	분수와 소수의 곱셈

6학년	
1권	분수의 나눗셈
2권	소수의 나눗셈
3권	비와 비율
4권	비례식과 비례배분

초등 원리셈의 단계별 학습 목표

원리와 연습을 모두 잡는 원리셈!!

학년별 학습 목표와 다른 책에서는 만나기 힘든 특별한 내용을 확인해 보세요.

1학년 원리셈

모든 연산 과정 중 실수가 가장 많은 덧셈, 뺄셈의 집중 연습
여러 가지 계산 방법 알기
덧셈, 뺄셈의 관계를 이용한 '□ 구하기'의 이해

2학년 원리셈

두 자리 덧셈, 뺄셈의 여러 가지 계산 방법의 숙지와 이해
곱셈 개념을 폭넓게 이해하고, 곱셈구구를 힘들지 않게 외울 수 있는 구성
나눗셈은 3학년 교과의 내용이지만 곱셈구구를 외우는 것을 도우면서 곱셈구구의 범위에서 개념 위주 학습

3학년 원리셈

기본 연산은 정확한 이해와 충분한 연습
곱셈, 나눗셈의 관계를 이용한 '□ 구하기'의 이해
분수는 학생들이 어려워 하는 부분을 중점적으로 이해하고, 연습하도록 구성

4학년 원리셈

작은 수의 곱셈, 나눗셈 방법을 확장하여 이해하는 큰 수의 곱셈, 나눗셈
교과서에는 나오지 않는 실전적 연산을 포함
많이 틀리는 내용은 별도 집중학습

5학년 원리셈

연산은 개념과 유형에 따라 단계적으로 학습 후 충분한 연습
약수와 배수는 기본기를 단단하게 할 수 있는 체계적인 구성

6학년 원리셈

분수와 소수의 나눗셈은 원리를 단순화하여 이해
비의 개념을 확장하여 문장제 문제 등에서 만나는 비례 관계의 이해와 적용
비와 비례식은 중등 수학을 대비하는 의미도 포함. 강추 교재!!

1학년 구성과 특징

1권은 받아올림, 받아내림 없는 두 자리 덧셈, 뺄셈을 공부하고, 2권~5권은 한 자리 덧셈, 뺄셈의 체계적 연습으로 세 수의 덧셈, 뺄셈과 □ 구하기를 포함합니다. 6권에서 두 자리와 한 자리의 덧셈, 뺄셈으로 확장하여 공부합니다.

원리

수 모형, 동전 등을 이용하여 원리를 직관적으로 이해하고 쉽게 공부할 수 있도록 하였습니다.

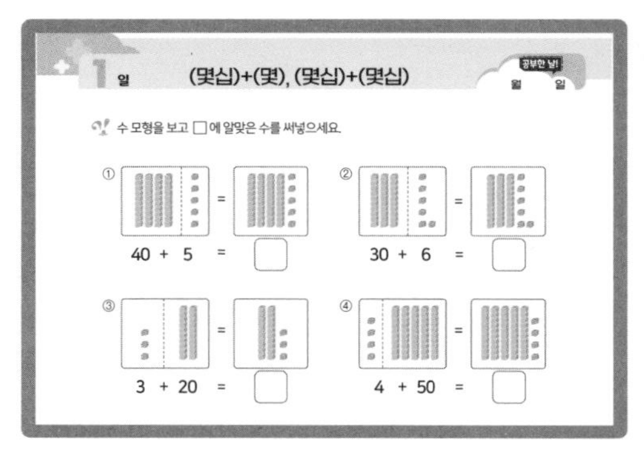

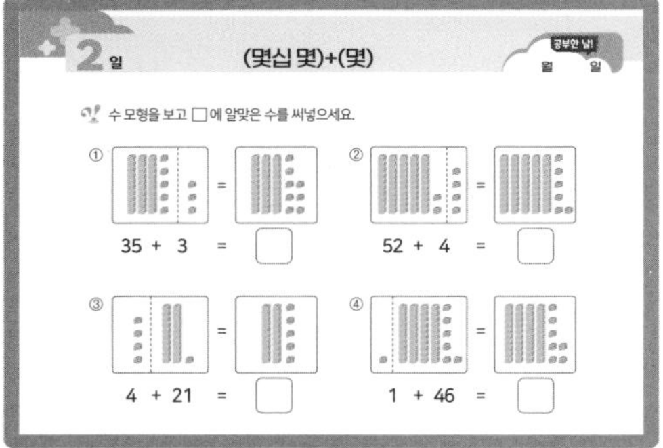

다양한 계산 방법

다양한 계산 방법을 공부함으로써 수를 다루는 감각을 키우고, 상황에 따라 더 정확하고 빠른 계산을 할 수 있도록 하였습니다.

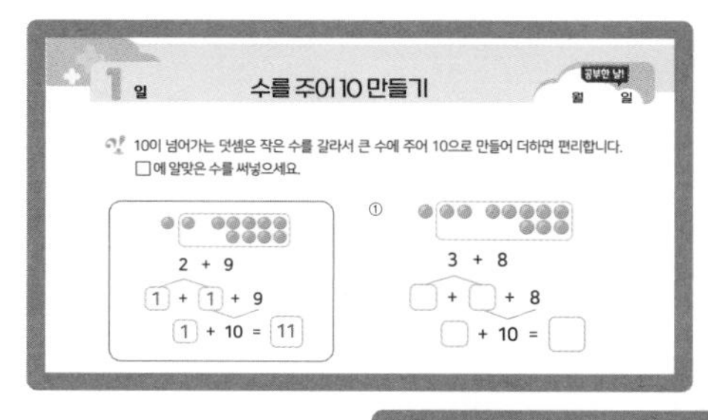

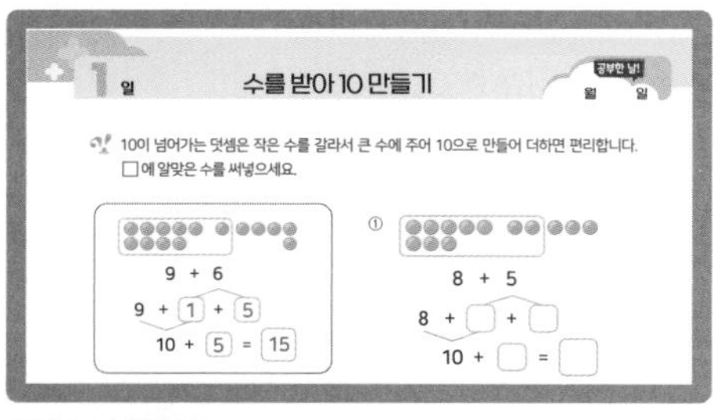

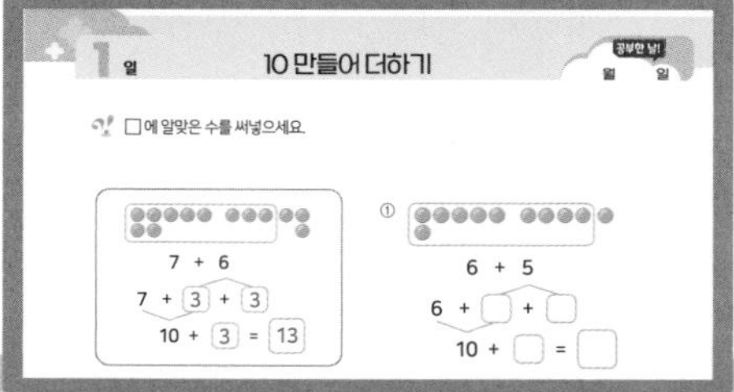

연습

기본 연습 문제를 중심으로 여러 형태의 문제로 지루하지 않게 반복하여 연습할 수 있도록 구성하였습니다.

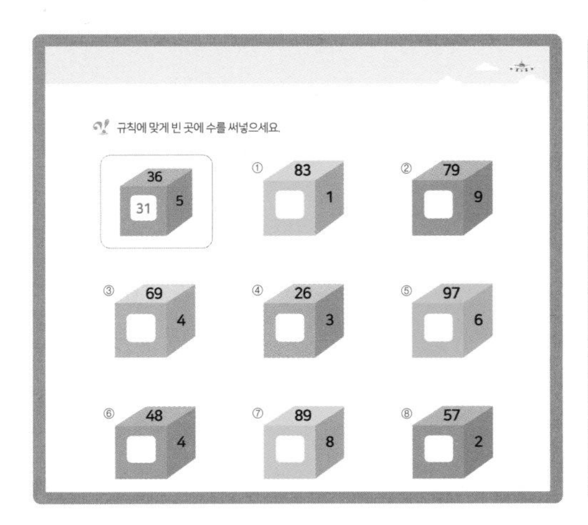

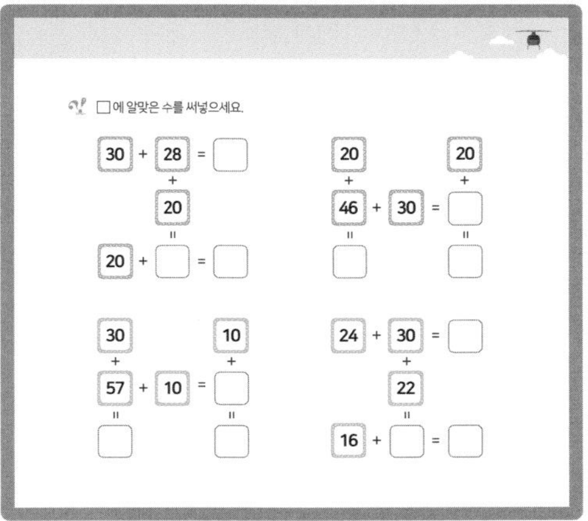

도전! 계산왕

주제가 구분되는 두 개의 단원은 정확성과 빠른 계산을 위한 집중 연습으로 주제를 마무리 합니다.

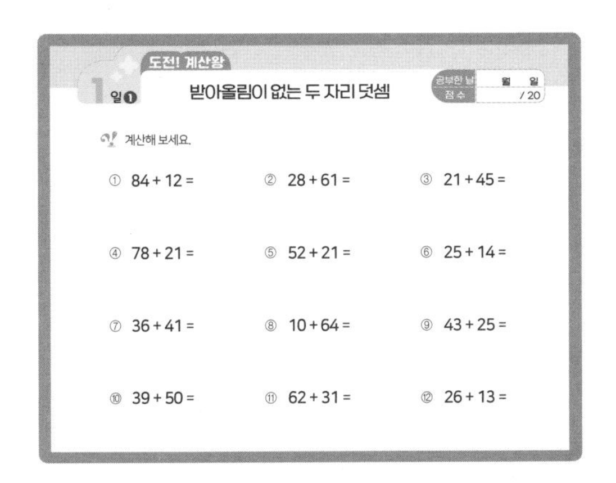

성취도 평가

개념의 이해와 연산의 수행에 부족한 부분은 없는지 성취도 평가를 통해 확인합니다.

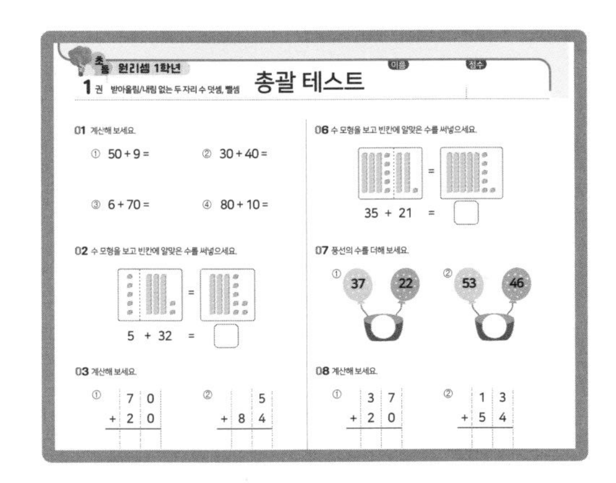

책의 사이사이에 학생의 학습을 돕기 위한 저자의 내용을 잘 이용하세요.

단원의 학습 내용과 방향

한 주차가 시작되는 쪽의 아래에 그 단원의 학습 내용과 어떤 방향으로 공부하는지를 설명해 놓았습니다.
학부모님이나 학생이 단원을 시작하기 전에 가볍게 읽어 보고 공부하도록 해 주세요.

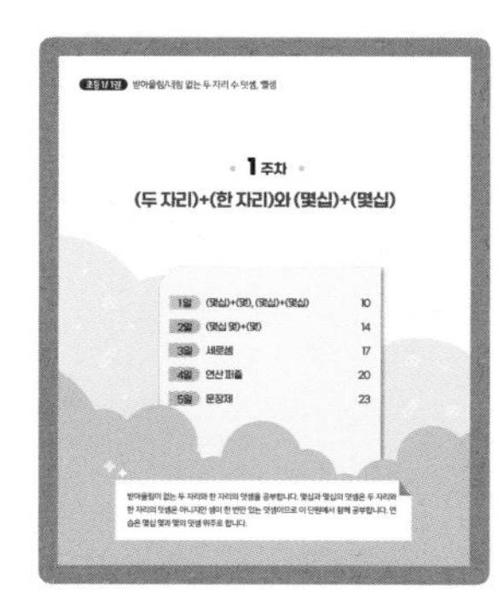
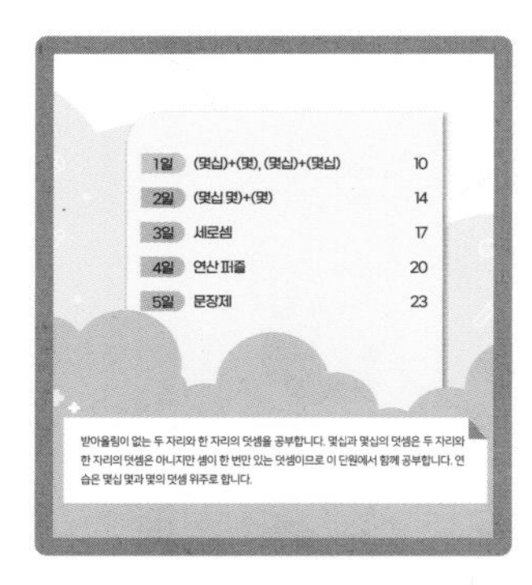

이해를 돕는 저자의 동영상 강의

처음 접하는 원리/개념과 연산 방법의 이해를 돕기 위한 동영상 강의가 있으니 이해가 어려운 내용은 QR코드를 이용하여 편리하게 동영상 강의를 보고, 공부하도록 하세요.

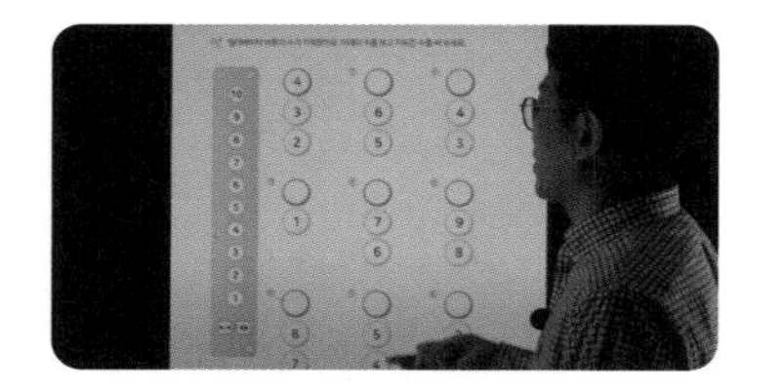

학습 Tip

간략한 도움글은 각 쪽의 아래에 있습니다.

천종현수학연구소 네이버 카페와 홈페이지를 활용하세요.

카페와 홈페이지에는 추가 문제 자료가 있고, 연산 외에서 수학 학습에 어려움을 상담 받을 수 있습니다.

네이버에서 천종현수학연구소를 검색하세요.

1주차

빼기 2, 3, 4

작은 수의 뺄셈은 받아내림이 있을 때 빼어지는 수를 10으로 만들고 남은 수를 빼는 것으로 생각하며 계산하는 것을 공부합니다. 예를 들어, 11-4라면 11에서 1을 먼저 빼어서 10을 만들고 3을 또 빼어서 답인 7을 구합니다.

10 만들어 빼기

공부한 날! 월 일

빼는 수를 갈라 빼어서 10을 만들고 남은 수를 한 번 더 빼면 편리합니다. □에 알맞은 수를 써넣으세요.

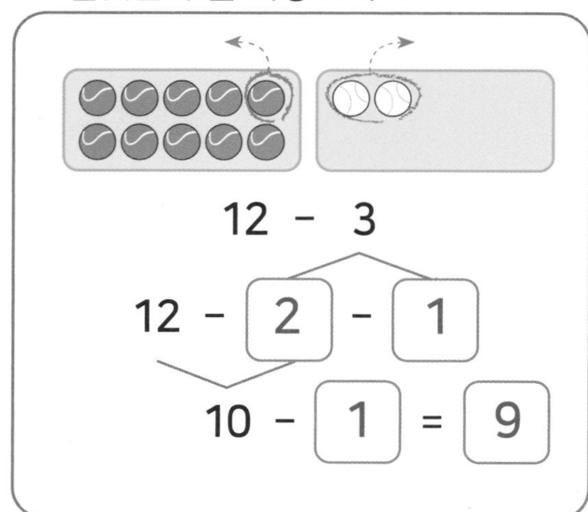

12 - 3

12 - 2 - 1

10 - 1 = 9

① 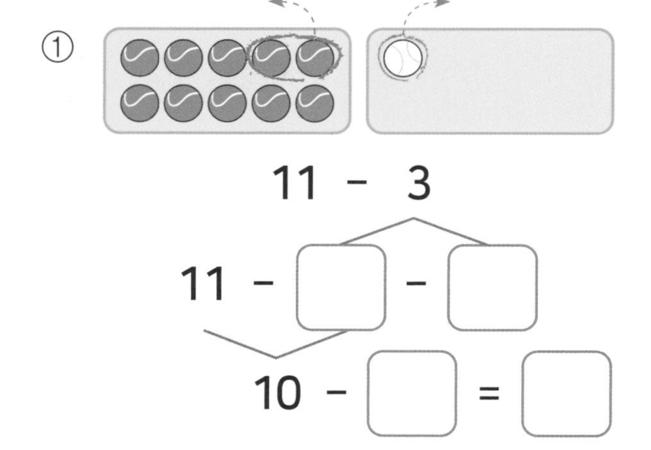

11 - 3

11 - □ - □

10 - □ = □

② 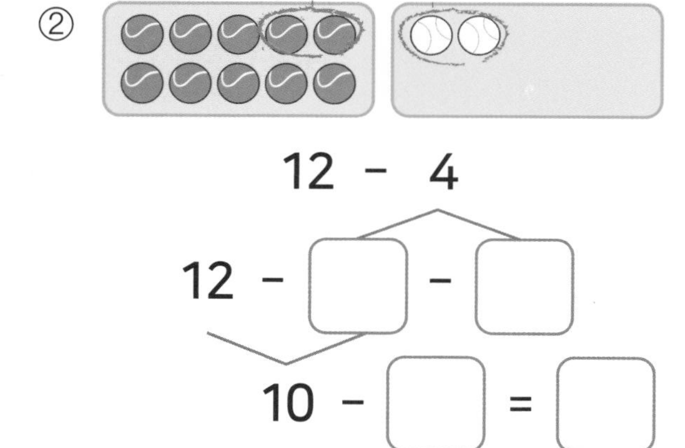

12 - 4

12 - □ - □

10 - □ = □

③ 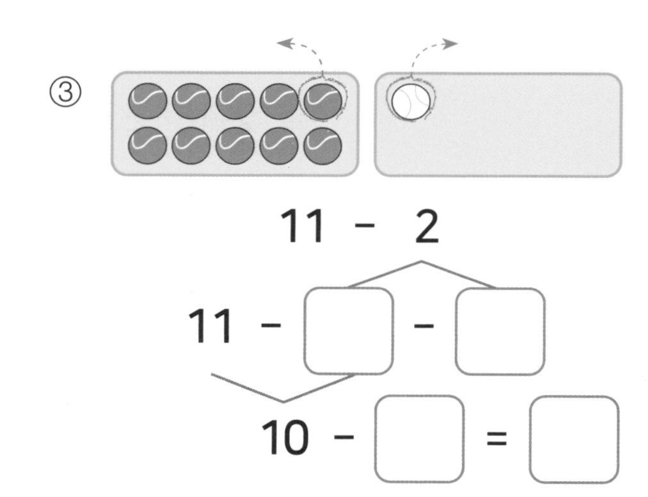

11 - 2

11 - □ - □

10 - □ = □

Tip 두 수의 일의 자리의 차가 작을 때는 10을 먼저 만들어 빼고, 남은 수를 한 번 더 빼는 것이 편리합니다.

빼는 수를 둘로 갈라 10을 만들어 뺄셈을 하세요.

$13 - 4 = \boxed{9}$ (3, 1)

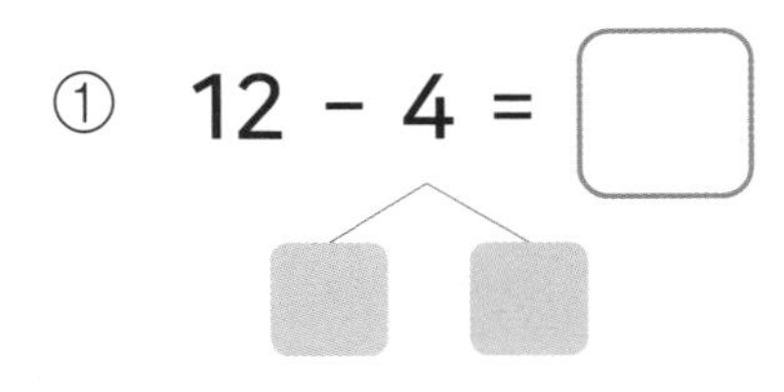

① $12 - 4 = \square$

② $11 - 2 = \square$

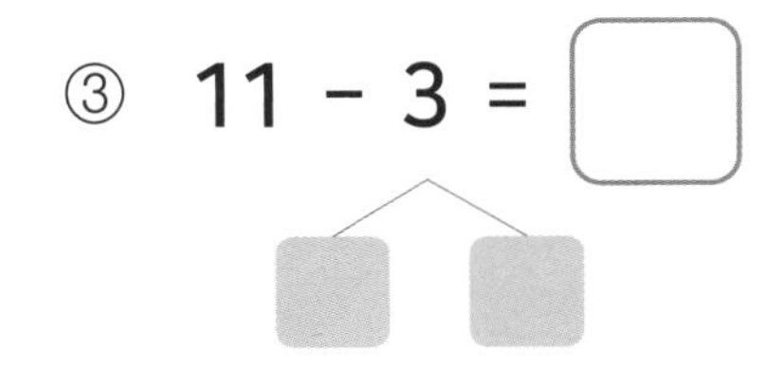

③ $11 - 3 = \square$

④ $11 - 4 = \square$

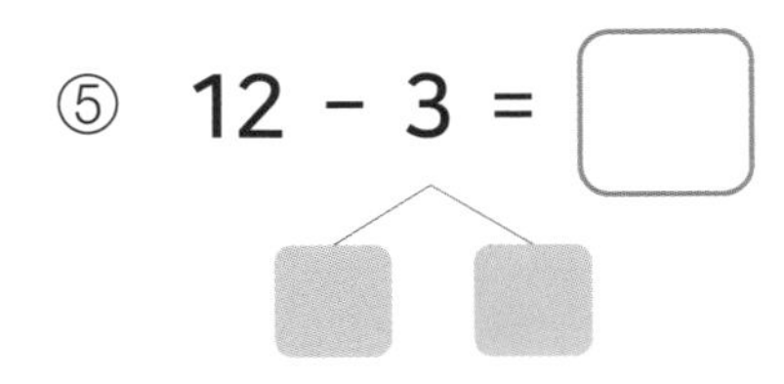

⑤ $12 - 3 = \square$

⑥ $13 - 4 = \square$

⑦ $13 - 5 = \square$

⑧ $14 - 5 = \square$

⑨ $12 - 5 = \square$

Tip
10 만들어 빼기의 원리는 2, 3, 4뿐 아니라 5의 뺄셈에서도 똑같이 적용할 수 있습니다.

통나무를 둘로 잘랐습니다. □에 알맞은 수를 구하세요.

① 

② 

③ 

④ 

⑤ 

⑥ 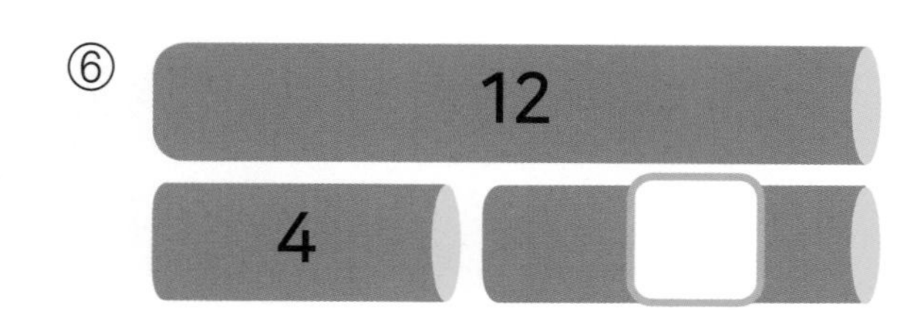

⑦ 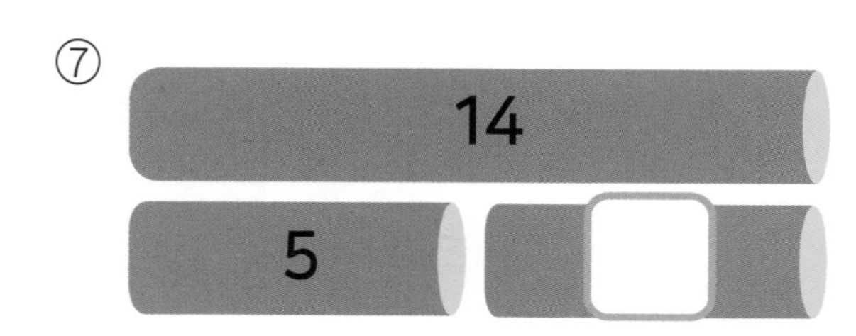

⑧
12
5

⑨
13
5

2의 단, 3의 단, 4의 단

2의 단 뺄셈을 해 보세요.

① $2 - 2 = \square$

② $3 - 2 = \square$

③ $4 - 2 = \square$

④ $5 - 2 = \square$

⑤ $6 - 2 = \square$

⑥ $7 - 2 = \square$

⑦ $8 - 2 = \square$

⑧ $9 - 2 = \square$

⑨ $10 - 2 = \square$

⑩ $11 - 2 = \square$

3의 단 뺄셈을 해 보세요.

① 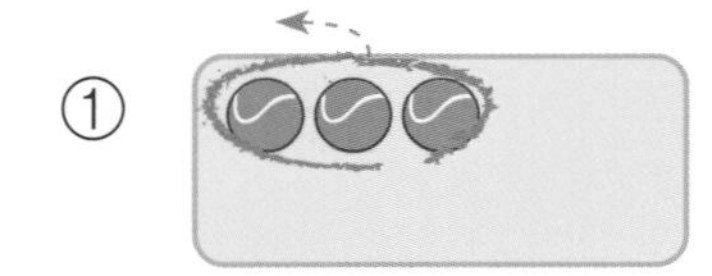

$3 - 3 = \square$

② $4 - 3 = \square$

③ $5 - 3 = \square$

④ $6 - 3 = \square$

⑤ $7 - 3 = \square$

⑥ $8 - 3 = \square$

⑦ $9 - 3 = \square$

⑧ $10 - 3 = \square$

⑨ $11 - 3 = \square$

⑩ $12 - 3 = \square$

4의 단 뺄셈을 해 보세요.

① 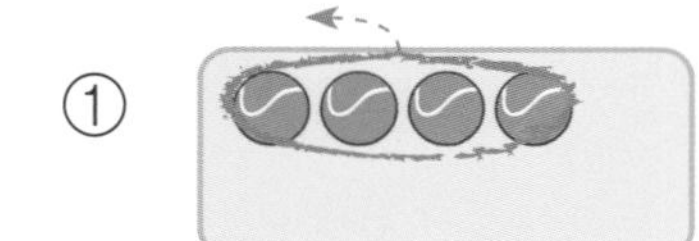 4 - 4 = □

②  5 - 4 = □

③ 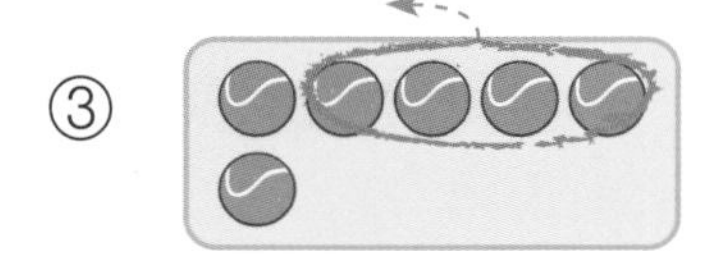 6 - 4 = □

④  7 - 4 = □

⑤ 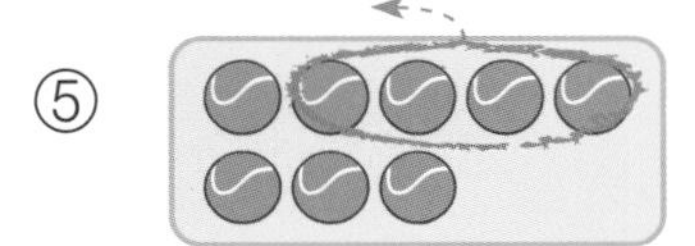 8 - 4 = □

⑥ 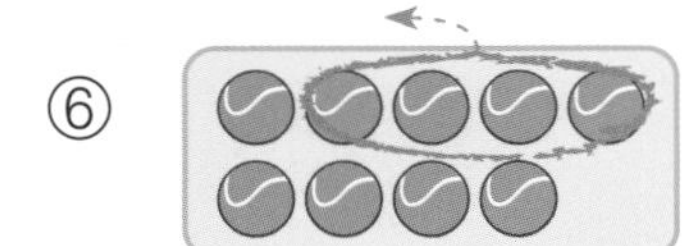 9 - 4 = □

⑦ 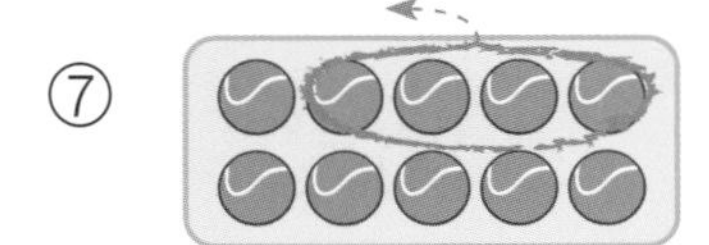 10 - 4 = □

⑧ 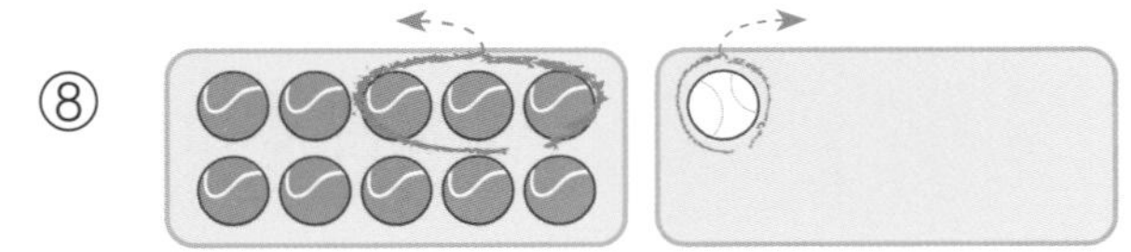 11 - 4 = □

⑨ 12 - 4 = □

⑩ 13 - 4 = □

계산해 보세요.

① $11 - 4 =$

② $10 - 3 =$

③ $8 - 2 =$

④ $12 - 3 =$

⑤ $13 - 4 =$

⑥ $7 - 3 =$

⑦ $10 - 2 =$

⑧ $11 - 2 =$

⑨ $9 - 4 =$

⑩ $10 - 4 =$

⑪ $11 - 3 =$

⑫ $7 - 2 =$

⑬ $7 - 4 =$

⑭ $12 - 4 =$

⑮ $11 - 4 =$

⑯ $9 - 2 =$

빼기 2, 3, 4

답이 틀린 것을 찾아 바르게 고쳐 보세요.

9 - 3 = 6
10 - 2 = 8
9 - 4 = 5
11 - 3 = 9 → 8

7 - 3 = 5
13 - 4 = 9
10 - 3 = 7
6 - 4 = 2

11 - 2 = 9
8 - 3 = 5
9 - 2 = 6
7 - 3 = 4

8 - 4 = 4
12 - 4 = 9
7 - 2 = 5
9 - 3 = 6

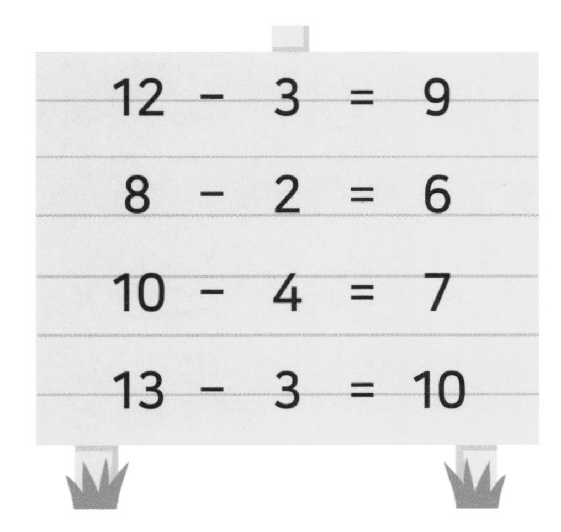

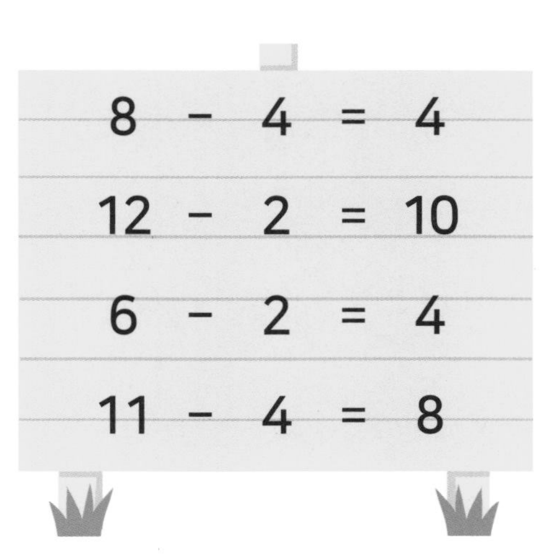

계산 결과에 알맞게 길을 그려 보세요.

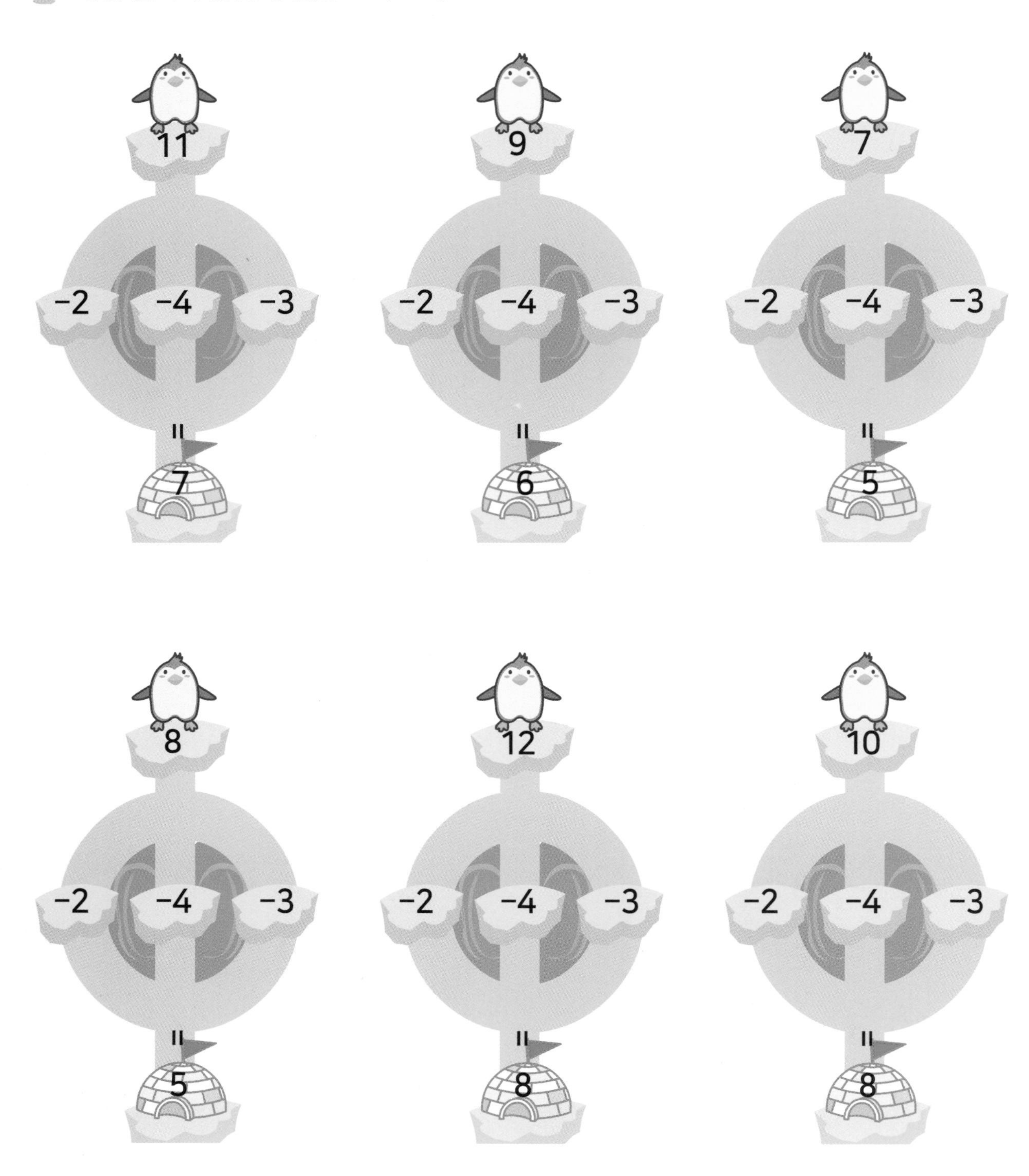

연산 퍼즐

공부한 날! 월 일

가로, 세로의 수의 차를 구해서 표를 완성하세요.

2	12		10
10		4	6
	3	9	6
8	9	5	-

8	4		
	11	2	
3		7	
			-

6		2	
	3	12	
4	10		
			-

	4	5	
9		2	
3	13		
			-

8		2	
4	11		
	3	4	
			-

	4	13	
3	6		
10		2	
			-

식을 계산하여 집까지 가는 길을 그려 보세요.

문장제

글과 그림을 보고 알맞은 식을 세우고 답을 구하세요.

클립 11개와 옷핀 12개가 있었는데 자석을 갖다 대니 클립 2개와 옷핀 4개가 자석에 붙었습니다.

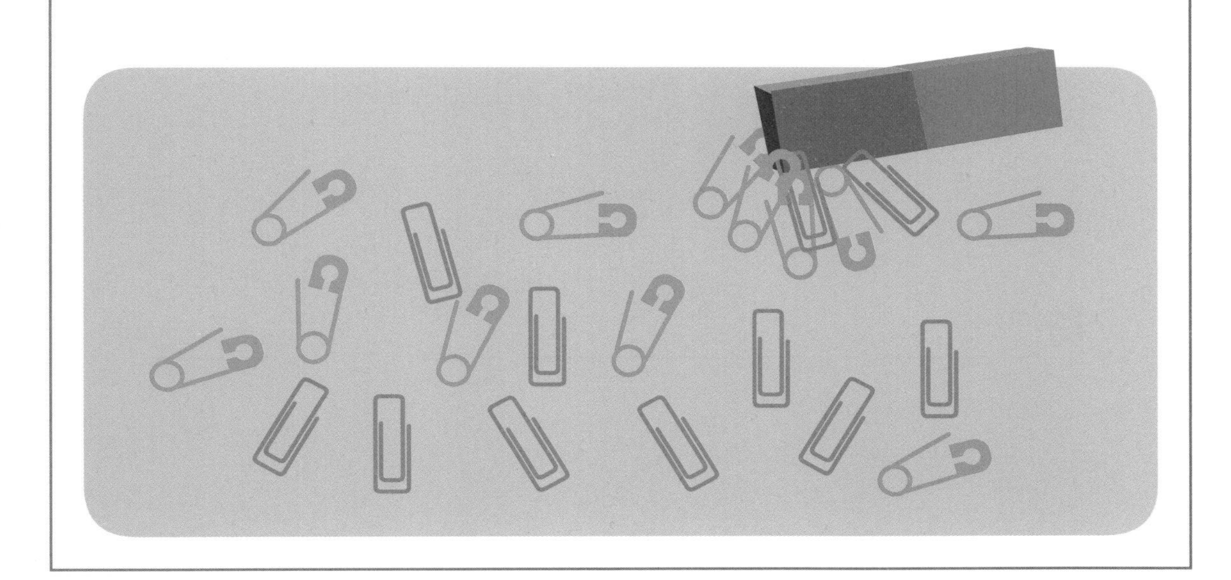

★ 자석에 붙지 않은 클립은 몇 개일까요?

식 : 11 - 2 = 9 답 : 9 개

① 자석에 붙지 않은 옷핀은 몇 개일까요?

식 : ________ 답 : ____ 개

문제를 읽고 알맞은 식과 답을 써 보세요.

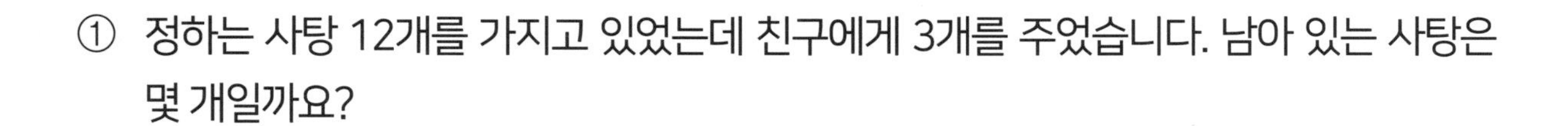
① 정하는 사탕 12개를 가지고 있었는데 친구에게 3개를 주었습니다. 남아 있는 사탕은 몇 개일까요?

식 : ______________________ 답 : ______ 개

② 운동장에 야구공이 13개, 농구공이 4개 있습니다. 야구공은 농구공보다 몇 개 더 많을까요?

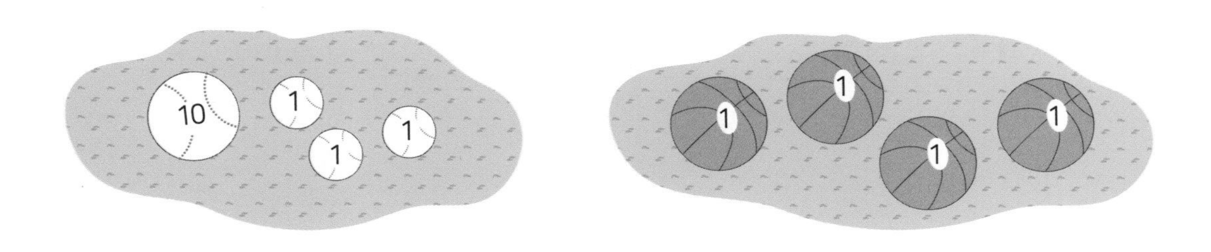

식 : ______________________ 답 : ______ 개

문제를 읽고 알맞은 식과 답을 써 보세요.

① 성민이는 연필 10자루가 들어 있는 필통에서 3자루의 연필을 꺼냈습니다. 필통에 남아 있는 연필은 몇 자루일까요?

식 : ______________________ 답 : ______ 자루

② 목장에 소 10마리가 있는데 2마리가 풀을 뜯고 있습니다. 풀을 뜯지 않는 소는 몇 마리일까요?

식 : ______________________ 답 : ______ 마리

③ 배 9개와 감 4개가 있습니다. 배는 감보다 몇 개 더 많은가요?

식 : ______________________ 답 : ______ 개

문제를 읽고 알맞은 식과 답을 써 보세요.

① 예방접종을 맞으러 10명의 친구들이 병원에서 줄을 서서 기다리고 있습니다. 4명이 주사를 맞고 나왔다면 아직 주사를 맞지 않은 친구들은 몇 명일까요?

식 : ______________________ 답 : ________ 명

② 11개의 호두가 있는데 4개를 까서 먹었습니다. 남아 있는 호두는 몇 개일까요?

식 : ______________________ 답 : ________ 개

③ 민수는 반 친구 11명과 팔씨름을 해서 3명에게 졌습니다. 민수가 이긴 반 친구들은 몇 명일까요?

식 : ______________________ 답 : ________ 명

2주차

빼기 9, 8

큰 수의 뺄셈은 받아내림이 있을 때 빼어지는 수를 10과 한 자리 수로 나누어 10에서 빼는 것을 공부합니다. 예를 들어, 12-9라면 10과 2로 나누어 10에서 9을 뺀 결과인 1과 2를 더해서 3이 됩니다.

10에서 빼기

큰 수를 뺄 때는 10에서 빼는 것이 편리합니다. □에 알맞은 수를 써넣으세요.

13 - 9

10 - 9 + [3]

[1] + [3] = [4]

①

15 - 8

10 - 8 + □

□ + □ = □

②

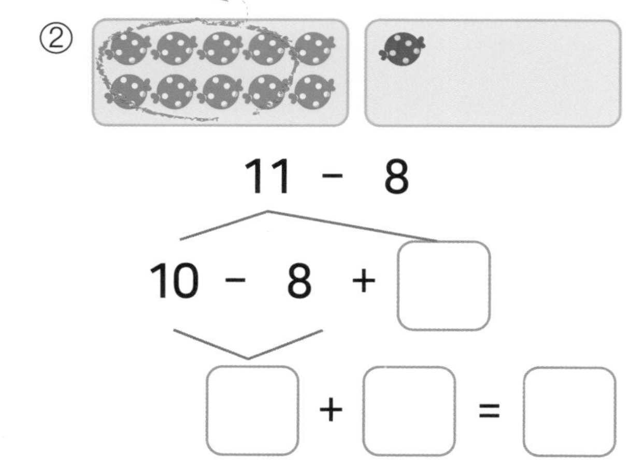

③

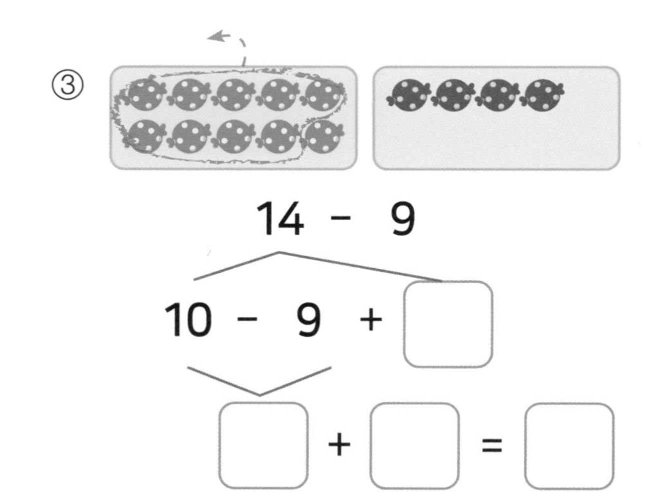

Tip

큰 수를 뺄 때는 10에서 먼저 빼고, 남은 수와 더하는 것이 편리합니다.

빼어지는 수를 둘로 갈라 10에서 빼어 뺄셈을 하세요.

$11 - 9 = \boxed{2}$

1　10

① $12 - 8 = \square$

② $16 - 9 = \square$

③ $13 - 9 = \square$

④ $11 - 8 = \square$

⑤ $14 - 8 = \square$

⑥ $16 - 8 = \square$

⑦ $15 - 8 = \square$

⑧ $15 - 9 = \square$

⑨ $17 - 9 = \square$

빈 곳에 알맞은 수를 써넣으세요.

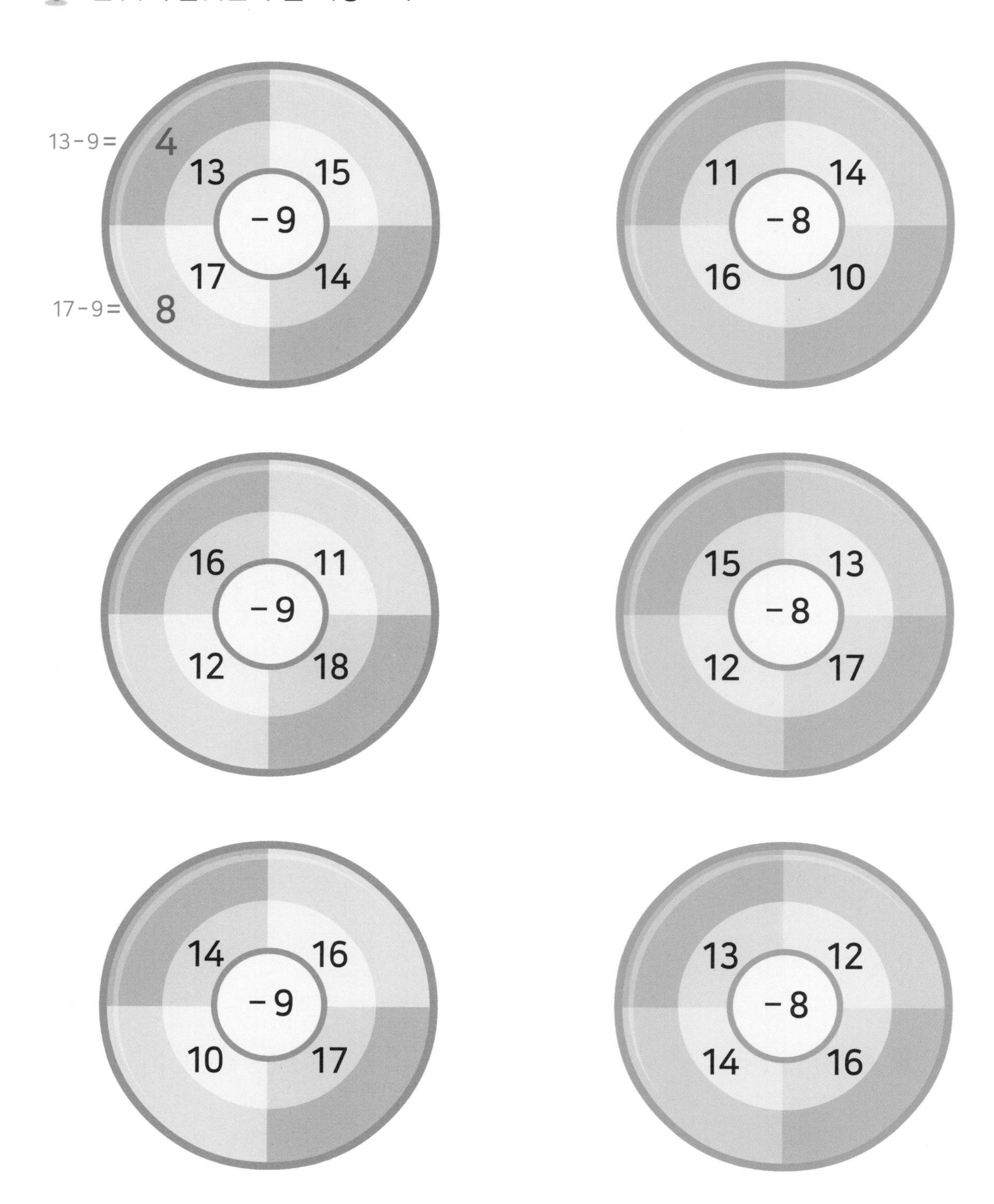

9의 단, 8의 단

공부한 날! 월 일

9의 단 뺄셈을 해 보세요.

① 9 - 9 = ☐

② 10 - 9 = ☐

③ 11 - 9 = ☐

④ 12 - 9 = ☐

⑤ 13 - 9 = ☐

⑥ 14 - 9 = ☐

⑦ 15 - 9 = ☐

⑧ 16 - 9 = ☐

⑨ 17 - 9 = ☐

⑩ 18 - 9 = ☐

8의 단 뺄셈을 해 보세요.

① 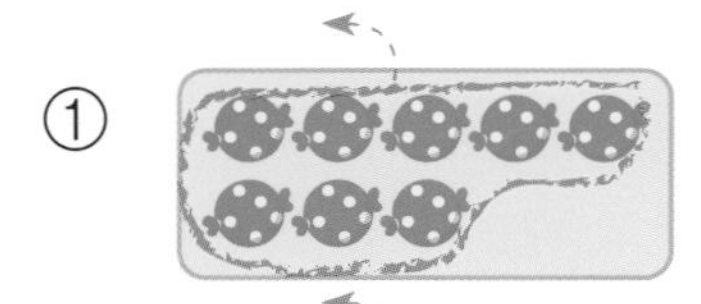 $8 - 8 = \square$

② $9 - 8 = \square$

③ $10 - 8 = \square$

④ 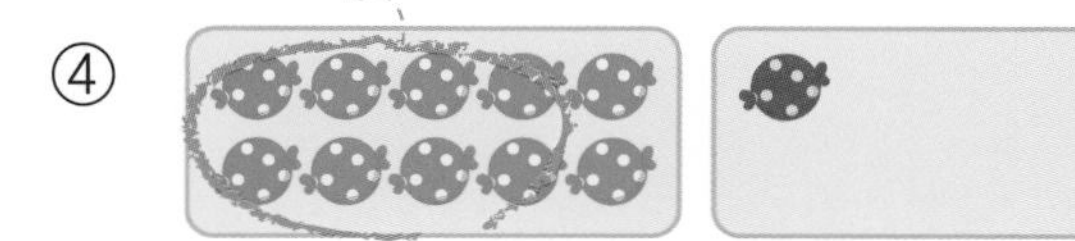 $11 - 8 = \square$

⑤ $12 - 8 = \square$

⑥ $13 - 8 = \square$

⑦ $14 - 8 = \square$

⑧ $15 - 8 = \square$

⑨ $16 - 8 = \square$

⑩ $17 - 8 = \square$

계산해 보세요.

① $13 - 8 =$

② $10 - 8 =$

③ $11 - 9 =$

④ $10 - 9 =$

⑤ $15 - 8 =$

⑥ $13 - 9 =$

⑦ $12 - 9 =$

⑧ $16 - 9 =$

⑨ $14 - 8 =$

⑩ $17 - 9 =$

⑪ $16 - 8 =$

⑫ $11 - 8 =$

⑬ $15 - 9 =$

⑭ $12 - 8 =$

⑮ $18 - 9 =$

⑯ $14 - 9 =$

빼기 9, 8

공부한 날! 월 일

◯의 수를 빼어서 나온 결과를 선으로 이어 보세요.

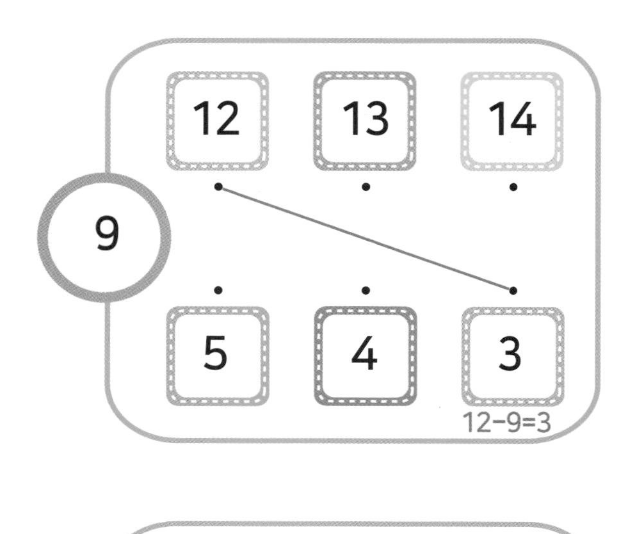

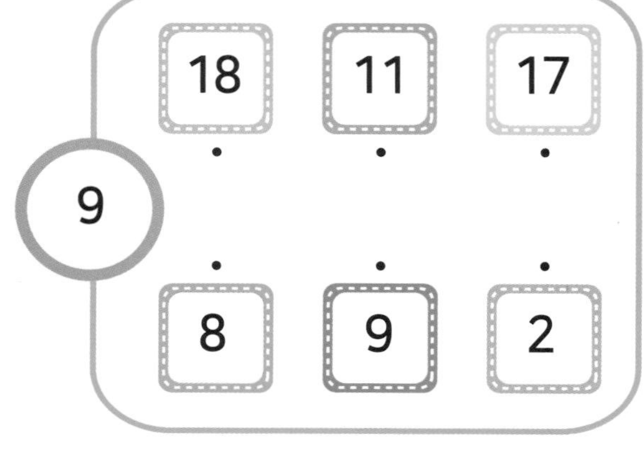

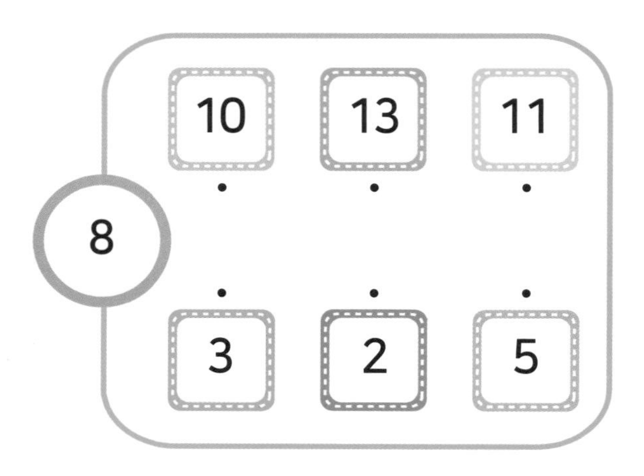

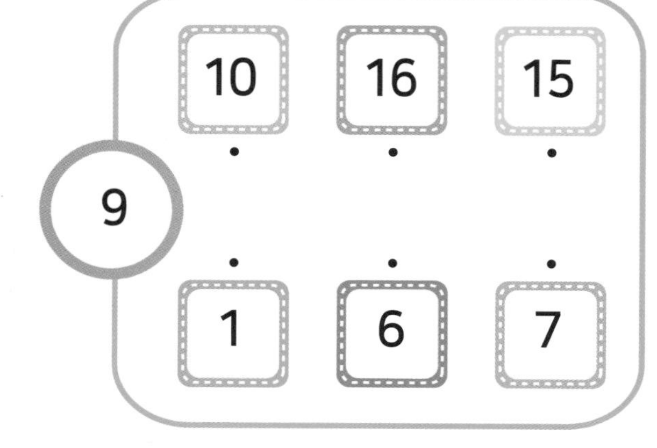

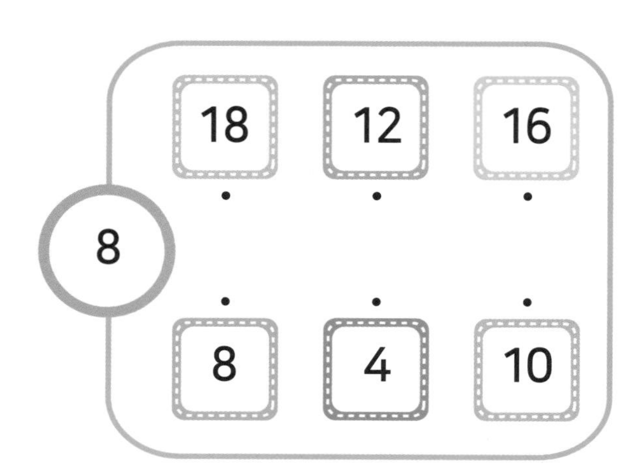

계산해 보세요.

① $11 - 8 =$

② $10 - 9 =$

③ $14 - 8 =$

④ $15 - 9 =$

⑤ $12 - 9 =$

⑥ $11 - 8 =$

⑦ $17 - 9 =$

⑧ $16 - 8 =$

⑨ $15 - 8 =$

⑩ $13 - 9 =$

⑪ $17 - 8 =$

⑫ $10 - 8 =$

⑬ $16 - 9 =$

⑭ $13 - 8 =$

⑮ $12 - 8 =$

⑯ $14 - 9 =$

계산 결과에 알맞게 길을 그려 보세요.

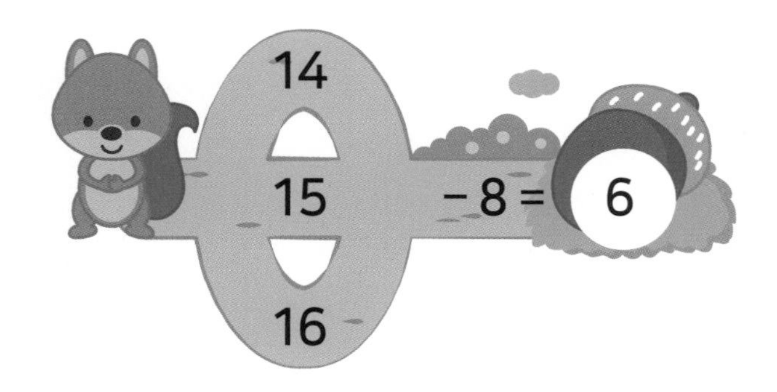

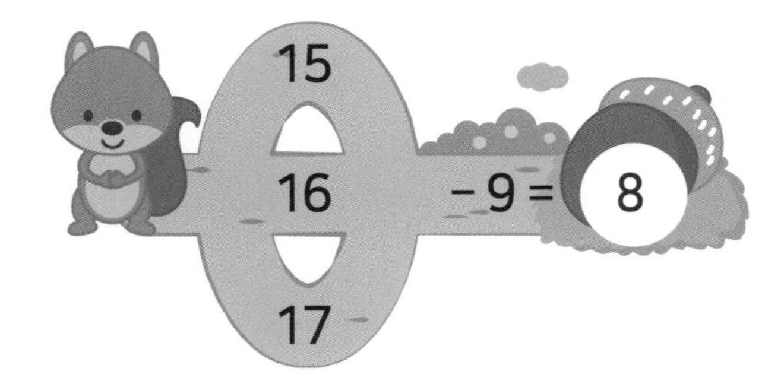

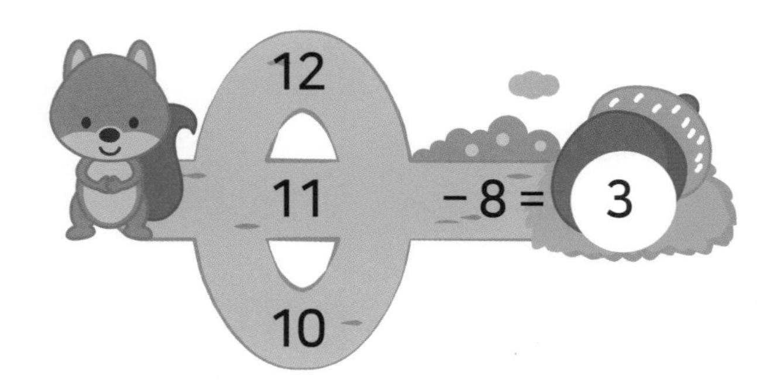

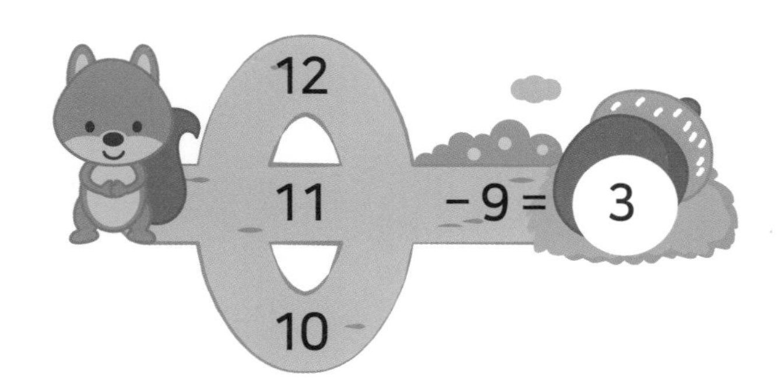

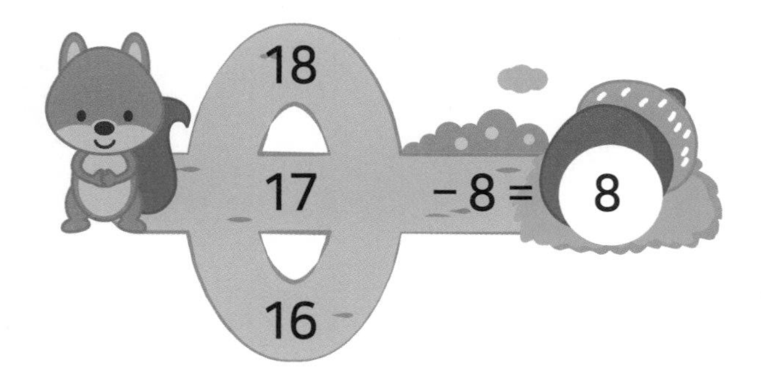

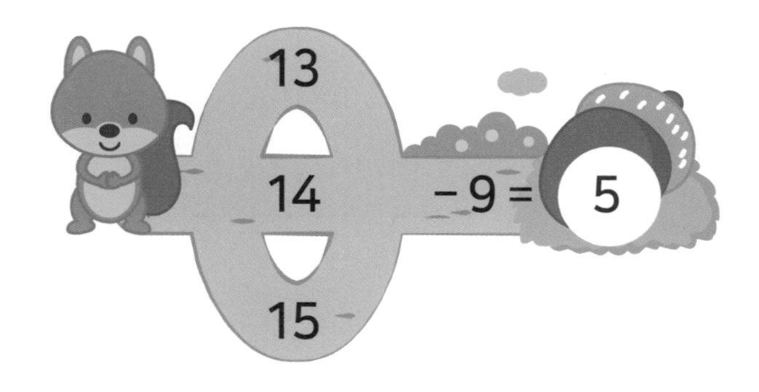

연산 퍼즐

공부한 날! 월 일

왼쪽 표에서 ◯의 수를 뺀 수가 점선으로 접어서 겹쳐지는 칸에 들어갑니다. 오른쪽 표를 완성해 보세요.

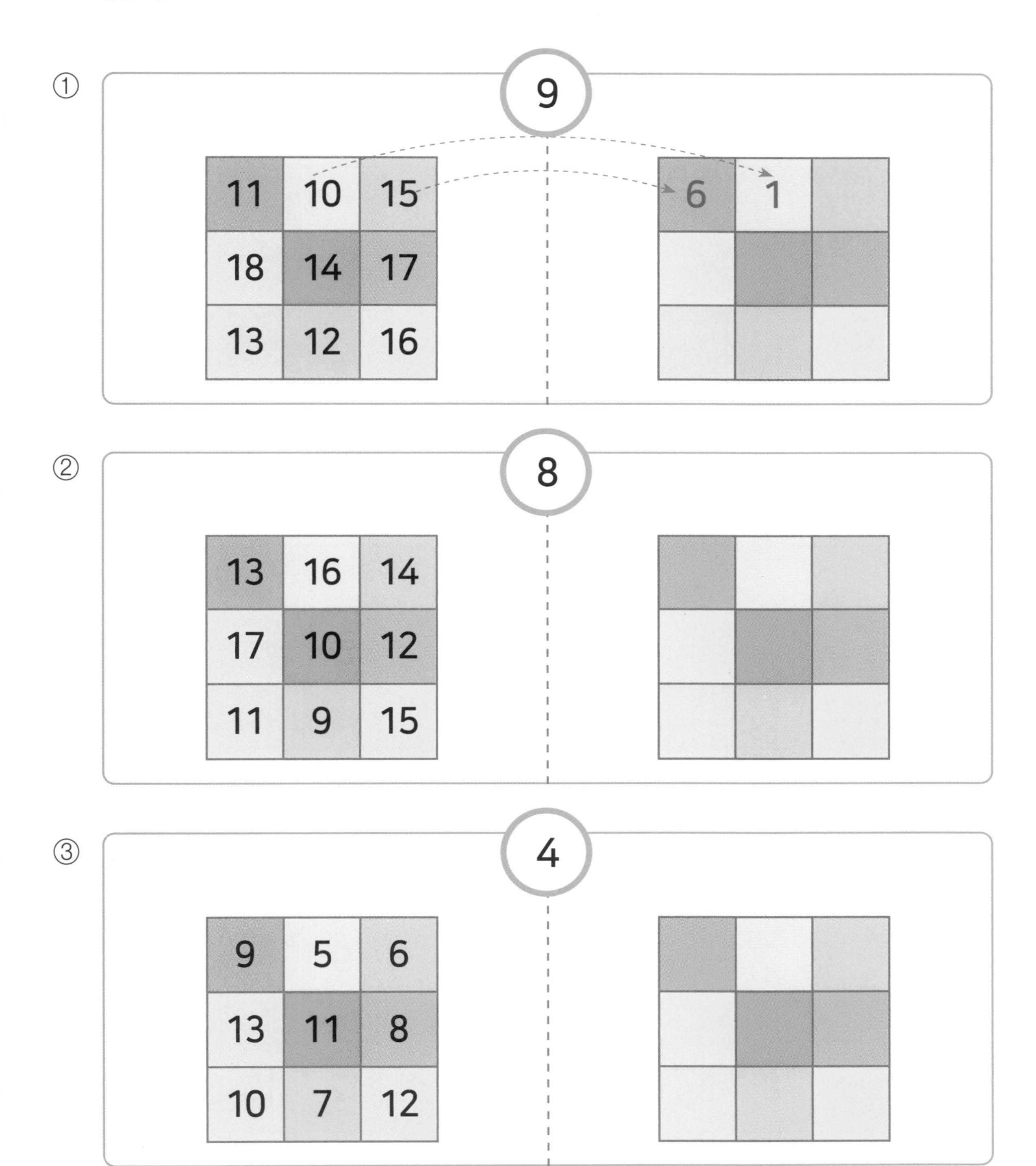

차가 ◇ 안의 수가 되는 두 수에 ○표 하세요.

14 17 6 8 12

6 8 17 10 14

7 10 8 9 12

8 11 7 6 12

4 13 9 12 6

11 15 5 8 2

9 7 15 8 14

13 8 12 15 3

문장제

글과 그림을 보고 알맞은 식을 세우고 답을 구하세요.

주머니 3개에 각각 빨간색 구슬 14개, 파란색 구슬 9개, 노란색 구슬 8개가 들어 있습니다.

★ 빨간색 구슬은 파란색 구슬보다 몇 개 더 많은가요?

식: 14 - 9 = 5 답: 5 개

① 빨간색 구슬은 노란색 구슬보다 몇 개 더 많은가요?

식: ______ 답: ______ 개

문제를 읽고 알맞은 식과 답을 써 보세요.

① 제과점에 13개의 도넛이 진열되어 있었는데 손님이 8개의 도넛을 사 갔습니다. 진열대에 남은 도넛은 몇 개일까요?

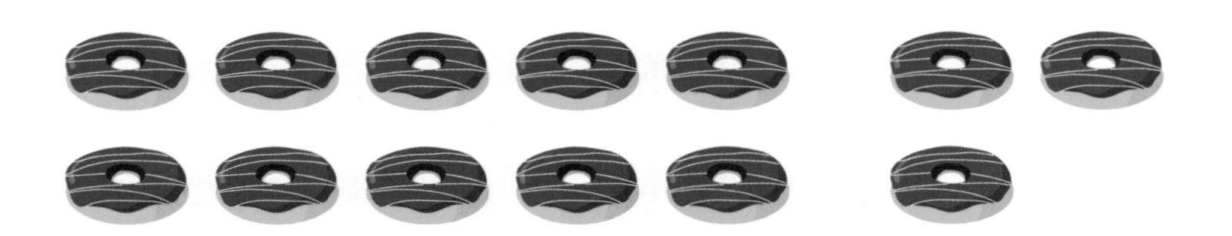

식 : ________________________ 답 : ______ 개

② 준호는 색종이를 17장 가지고 있었는데 이 중 9장으로 학을 접었습니다. 남은 색종이는 몇 장일까요?

식 : ________________________ 답 : ______ 장

문제를 읽고 알맞은 식과 답을 써 보세요.

① 민섭이는 아버지와 낚시를 가서 물고기 12마리를 잡았는데 8마리를 다시 놓아주었습니다. 남은 물고기는 몇 마리일까요?

식 : ____________________ 답 : ______ 마리

② 책상에 클립 15개가 있었는데 아버지 서류 정리를 도와드리면서 9개의 클립을 사용하였습니다. 책상 위에 남은 클립은 몇 개일까요?

식 : ____________________ 답 : ______ 개

③ 성민이는 8살이고 성민이의 형은 11살입니다. 성민이의 형은 성민이보다 몇 살 더 많을까요?

식 : ____________________ 답 : ______ 살

문제를 읽고 알맞은 식과 답을 써 보세요.

① 16명이 타고 있던 버스가 정류장에서 9명이 내리고 다시 출발하였습니다. 출발한 버스에 남은 사람은 몇 명일까요?

식 : ______________________ 답 : ______ 명

② 시현이와 정현이가 가진 100원짜리 동전을 모아 보니 모두 17개가 있었습니다. 그 중 8개가 시현이의 동전일 때, 정현이가 가지고 있던 동전은 몇 개일까요?

식 : ______________________ 답 : ______ 개

③ 운동장에 15명의 아이들이 축구를 하고 있었는데 종이 울리자 8명이 교실로 들어갔습니다. 운동장에 남은 아이들은 몇 명일까요?

식 : ______________________ 답 : ______ 명

3주차

빼기 7, 6

빼기 7과 6은 받아내림이 있을 때 빼어지는 수를 10과 한 자리 수로 나누어 10에서 빼는 방법을 사용할 수 있지만, 빼어지는 수의 일의 자리와 차가 작다면 1주차에서 공부한 것과 같이 빼어지는 수를 10으로 만들고 한 번 더 빼는 것도 좋은 방법입니다.

10을 이용한 뺄셈

□에 알맞은 수를 써넣으세요.

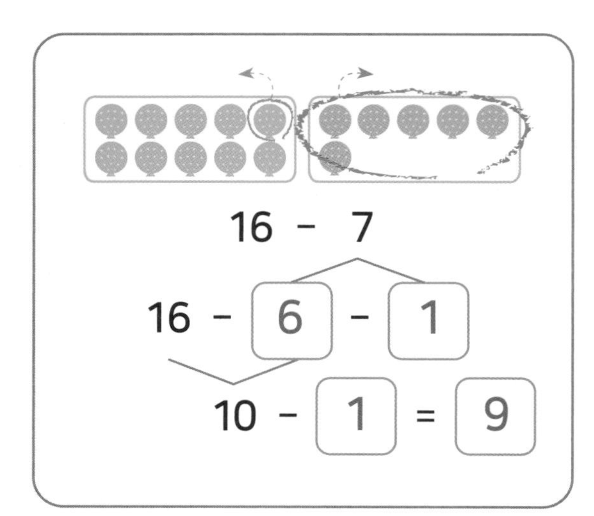

①
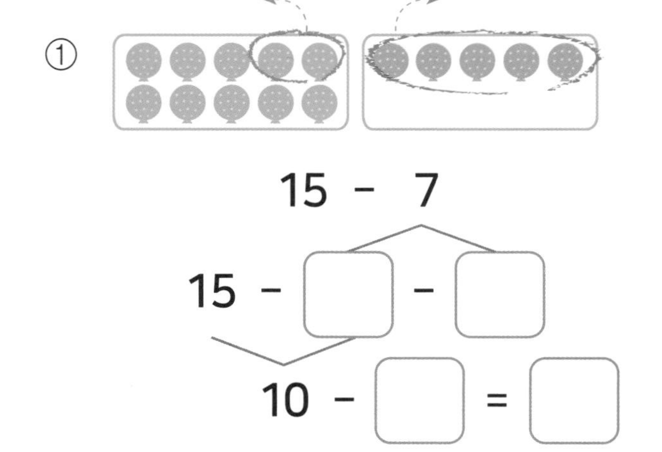

②
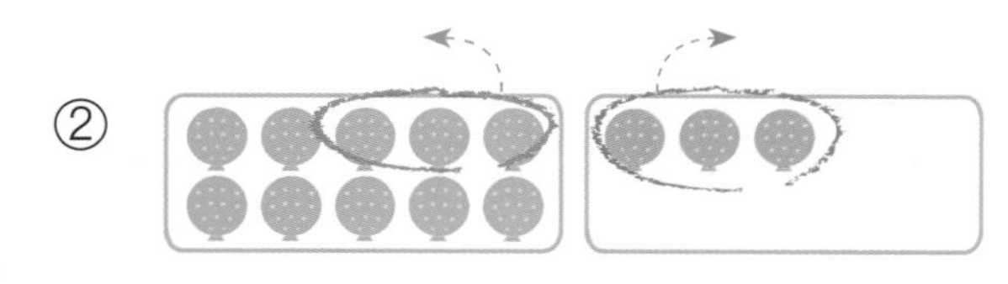

13 - 6

13 - □ - □

10 - □ = □

③
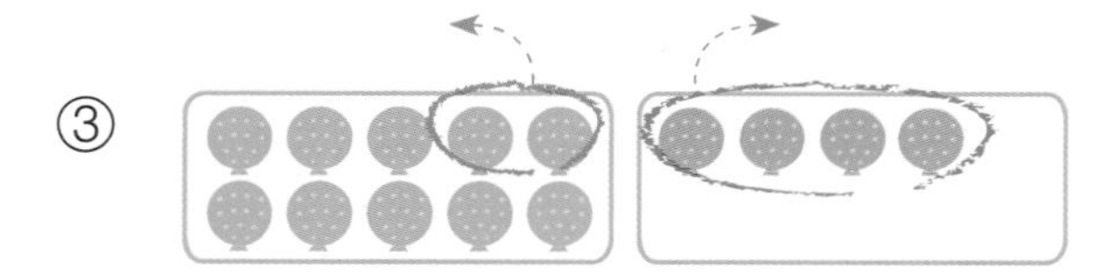

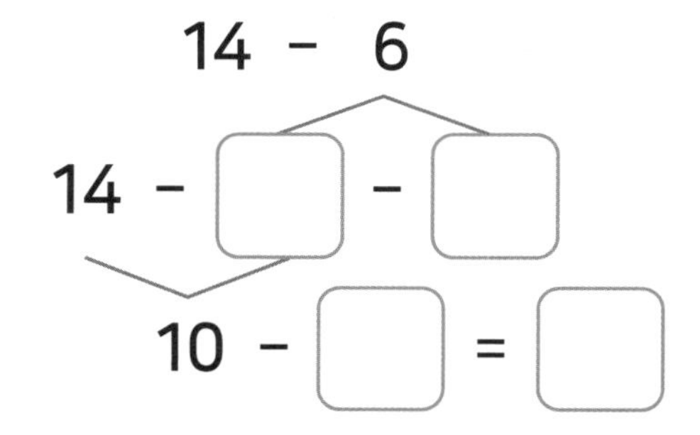

Tip
두 가지 방법의 뺄셈을 비교해 보세요.

□에 알맞은 수를 써넣으세요.

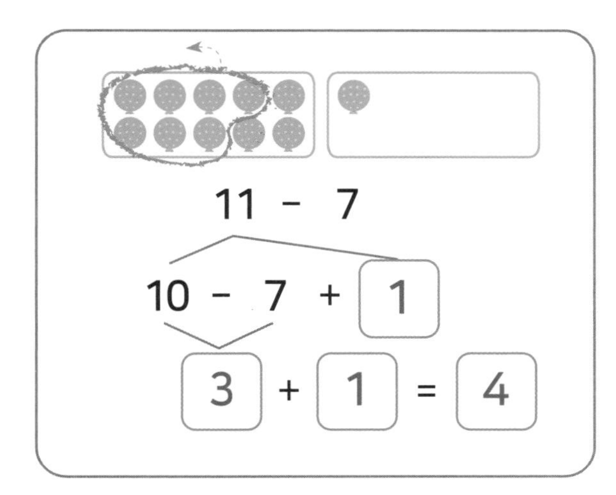

①
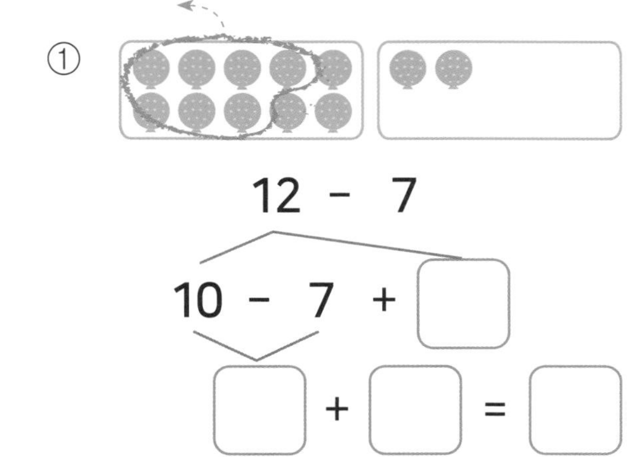

②
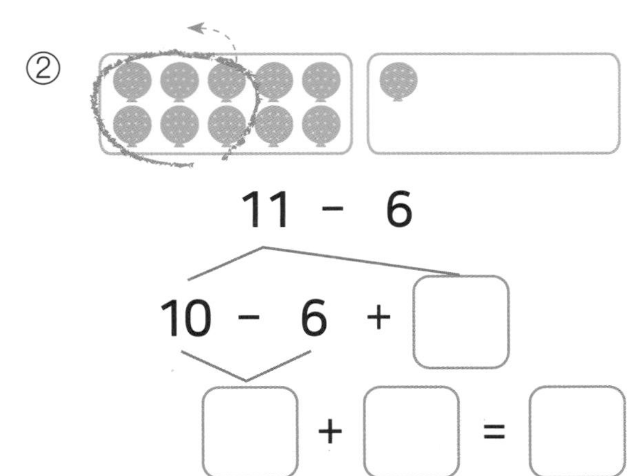

③
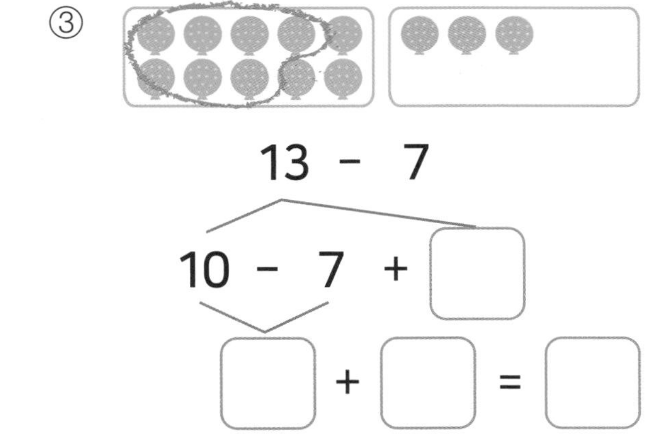

④
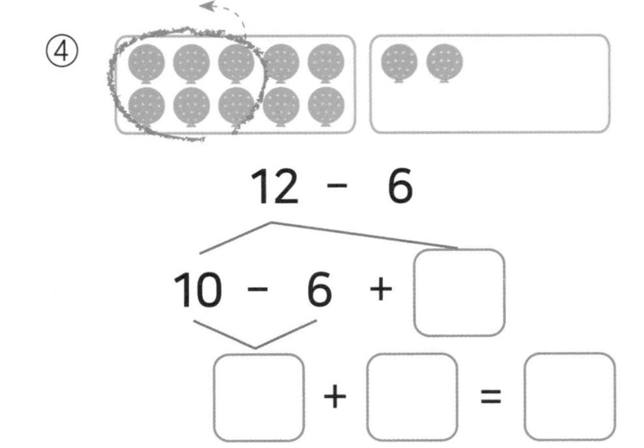

⑤
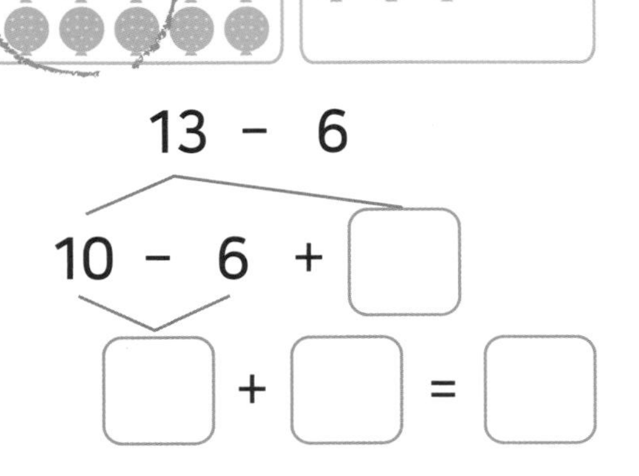

빈 곳에 알맞은 수를 써넣으세요.

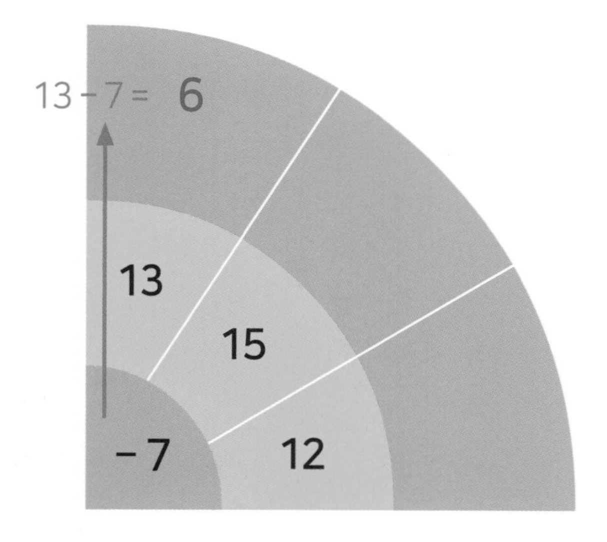

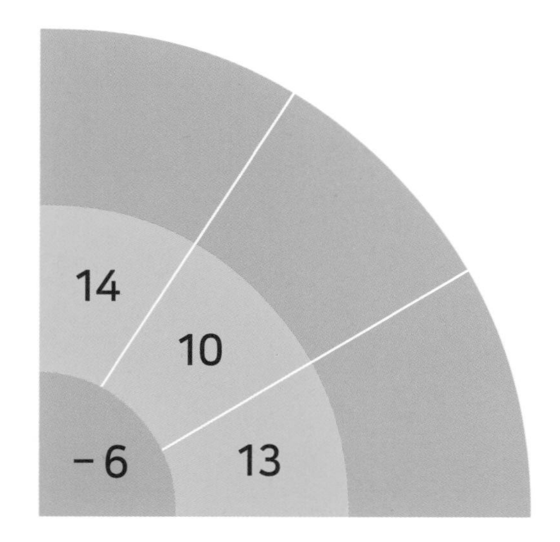

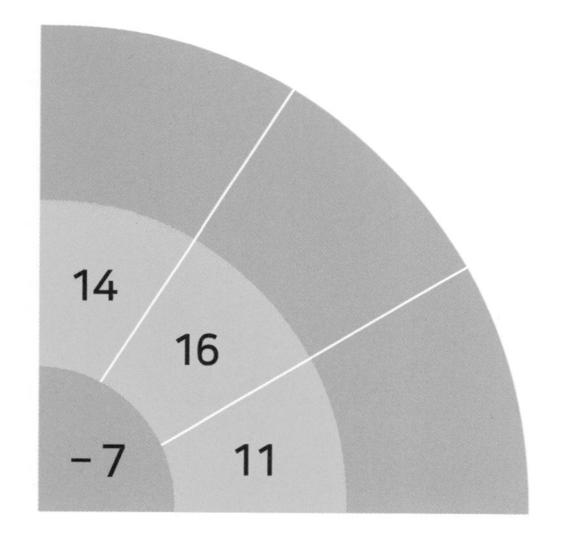

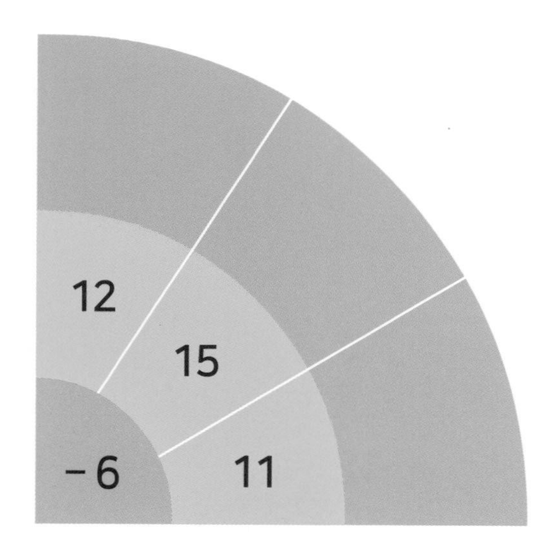

7의 단, 6의 단

공부한 날! 월 일

7의 단 뺄셈을 해 보세요.

① 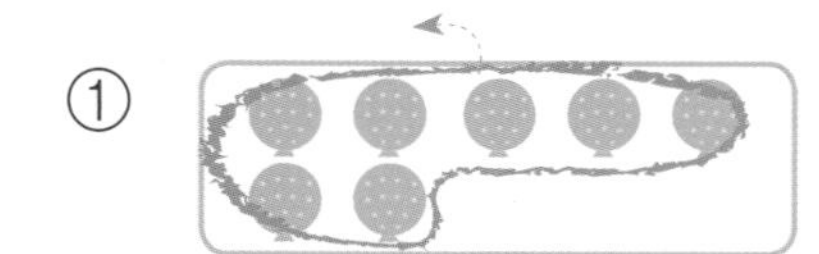 7 - 7 = □

② 8 - 7 = □

③ 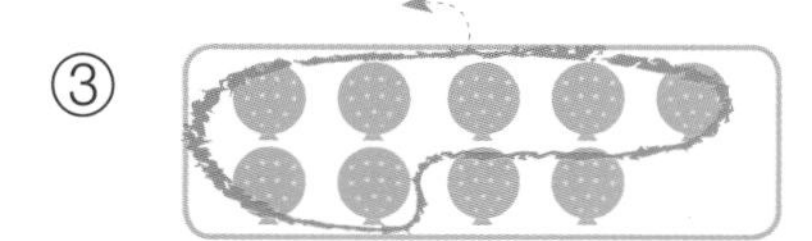 9 - 7 = □

④ 10 - 7 = □

⑤ 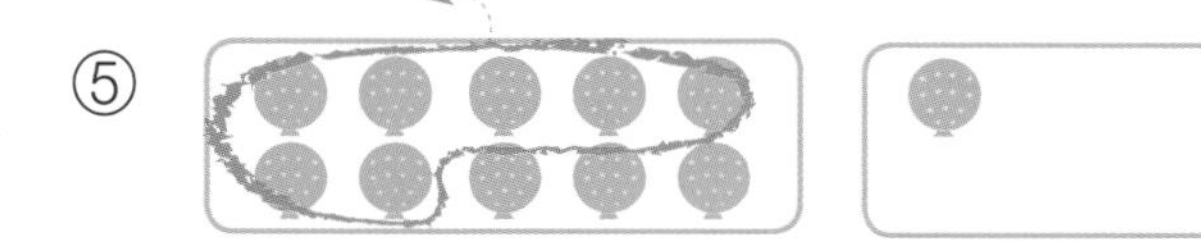 11 - 7 = □

⑥ 12 - 7 = □

⑦ 13 - 7 = □

⑧ 14 - 7 = □

⑨ 15 - 7 = □

⑩ 16 - 7 = □

6의 단 뺄셈을 해 보세요.

① 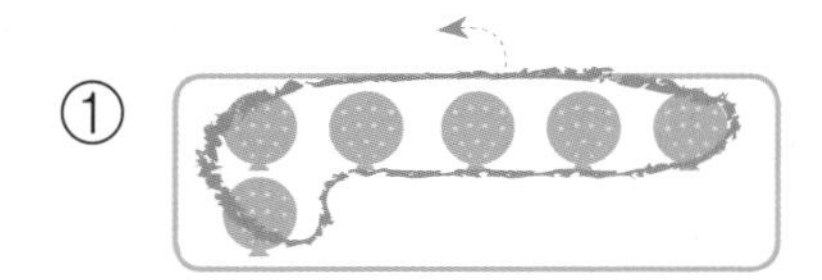 $6 - 6 = \square$

② $7 - 6 = \square$

③ $8 - 6 = \square$

④ $9 - 6 = \square$

⑤ $10 - 6 = \square$

⑥ $11 - 6 = \square$

⑦ $12 - 6 = \square$

⑧ $13 - 6 = \square$

⑨ $14 - 6 = \square$

⑩ $15 - 6 = \square$

계산해 보세요.

① $12-6=$

② $13-7=$

③ $15-7=$

④ $13-6=$

⑤ $10-6=$

⑥ $11-7=$

⑦ $12-7=$

⑧ $9-6=$

⑨ $15-6=$

⑩ $10-7=$

⑪ $14-7=$

⑫ $14-6=$

⑬ $11-6=$

⑭ $16-7=$

⑮ $13-7=$

⑯ $12-6=$

빼기 7, 6

규칙에 알맞게 빈칸에 알맞은 수를 써넣으세요.

①

−	17	16	15
7	10		

17 − 7 = 10

②

−	16	15	14
6			

③

−	10	11	12
7			

④

−	10	11	12
6			

⑤

−	17	18	19
7			

⑥

−	6	7	8
6			

⑦

−	10	12	14
7			

⑧

−	10	12	14
6			

⑨

−	17	15	13
7			

⑩

−	16	13	11
6			

계산해 보세요.

① $8 - 7 =$

② $11 - 6 =$

③ $12 - 7 =$

④ $14 - 7 =$

⑤ $8 - 6 =$

⑥ $14 - 6 =$

⑦ $11 - 7 =$

⑧ $10 - 6 =$

⑨ $9 - 6 =$

⑩ $9 - 7 =$

⑪ $13 - 7 =$

⑫ $15 - 6 =$

⑬ $13 - 6 =$

⑭ $10 - 7 =$

⑮ $15 - 7 =$

⑯ $12 - 6 =$

연산 퍼즐

공부한 날! 월 일

계산 결과가 올바른 칸을 색칠해 보세요.

15 − 7 = 8	12 − 7 = 5	12 − 6 = 6
14 − 6 = 7	12 − 7 = 6	14 − 7 = 7
11 − 7 = 4	11 − 6 = 5	15 − 6 = 9
16 − 7 = 9	15 − 6 = 8	16 − 7 = 8
13 − 6 = 7	13 − 7 = 6	14 − 6 = 8

13 − 7 = 6	11 − 7 = 4	14 − 6 = 8
15 − 6 = 9	12 − 7 = 6	13 − 6 = 6
15 − 7 = 8	12 − 7 = 5	14 − 7 = 7
14 − 7 = 8	15 − 7 = 9	11 − 6 = 5
12 − 6 = 6	16 − 7 = 9	13 − 6 = 7

차가 ▽ 안의 수가 되는 두 수를 모두 선으로 이어 보세요.

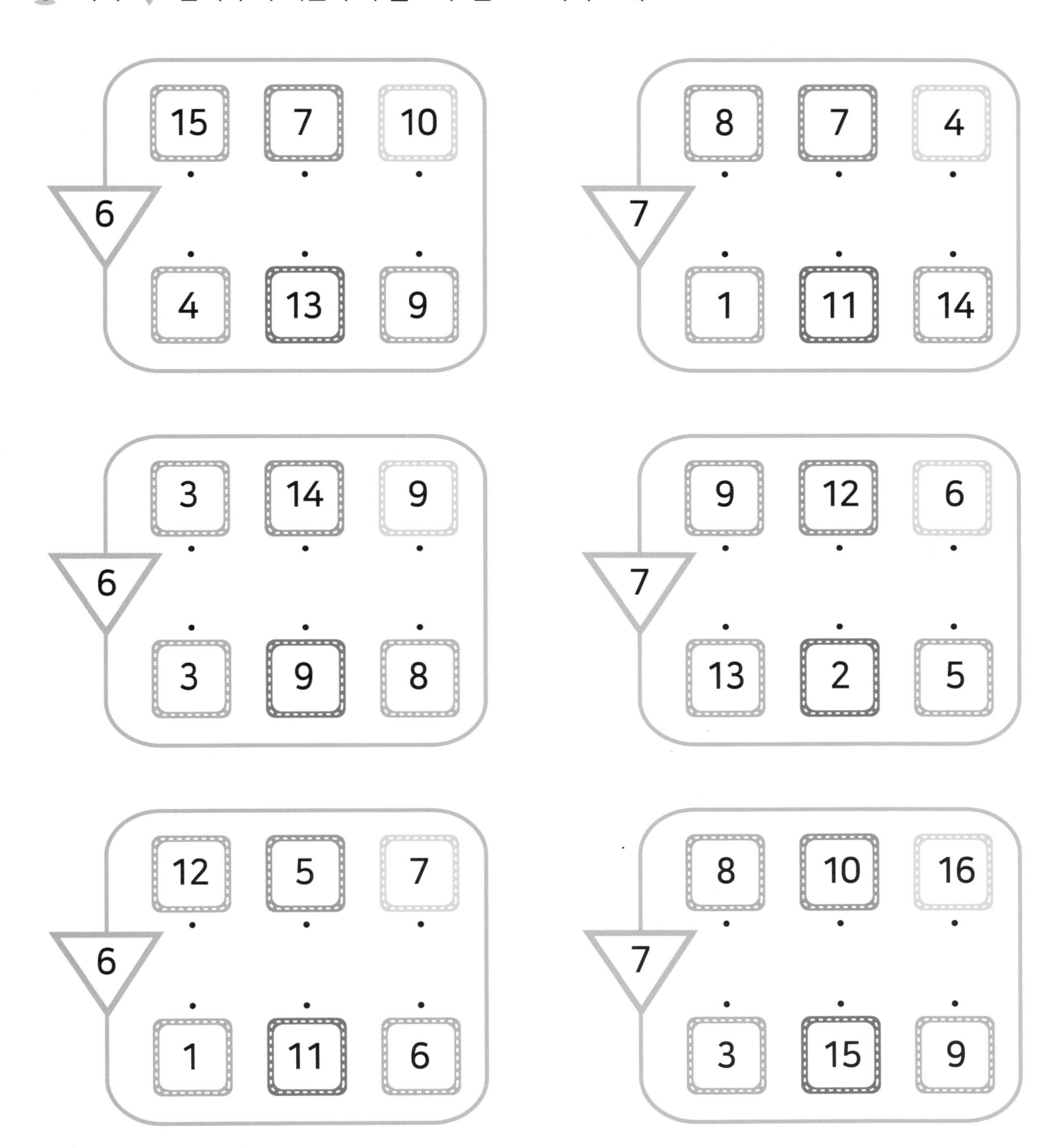

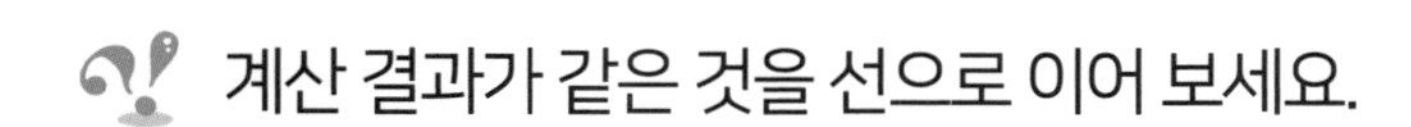

계산 결과가 같은 것을 선으로 이어 보세요.

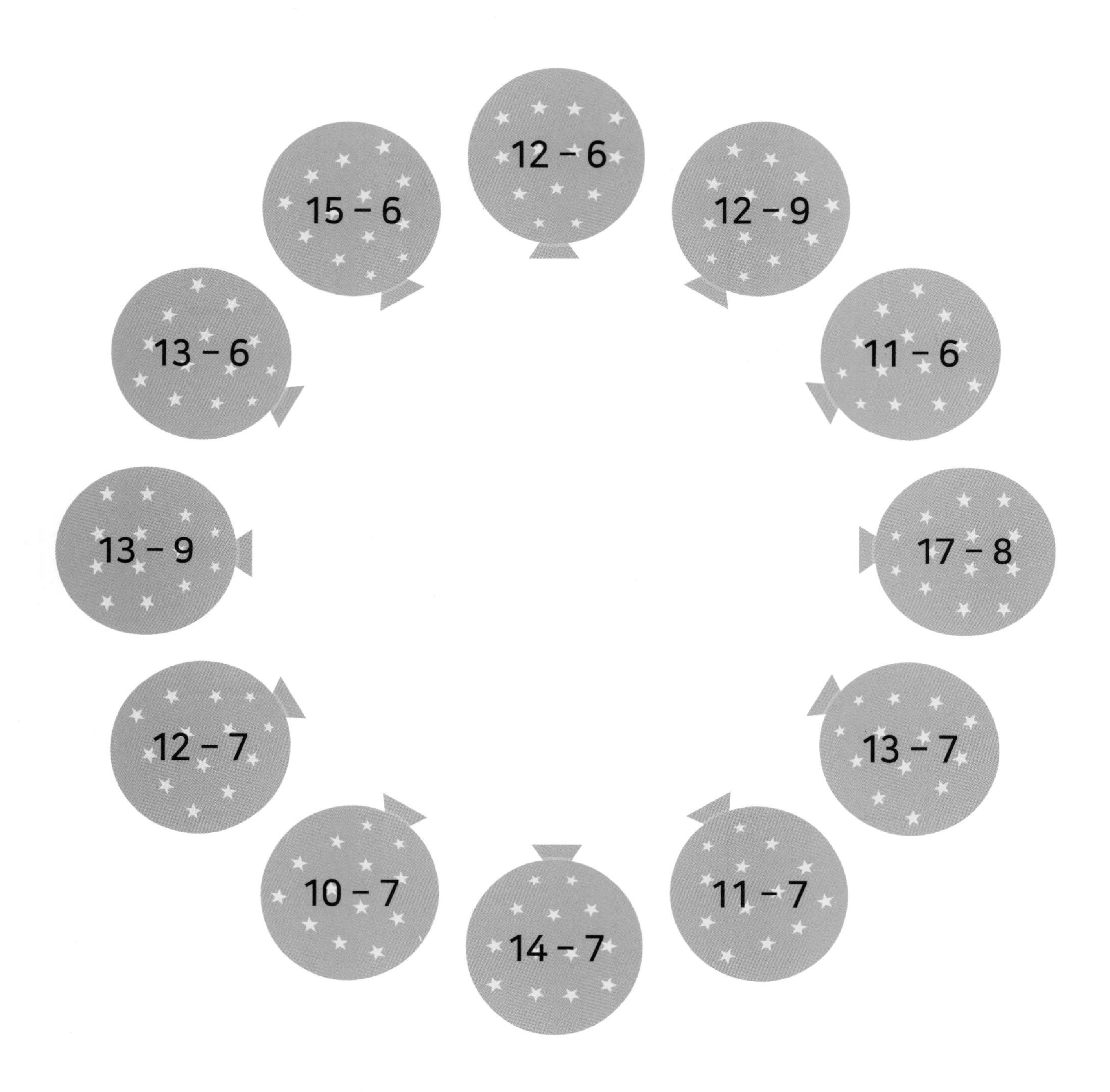

문장제

글과 그림을 보고 알맞은 식을 세우고 답을 구하세요.

준호네 아버지께서 사과 13개와 감 15개를 사 오셨습니다. 준호는 가족들과 함께 사과 6개와 감 7개를 먹었습니다.

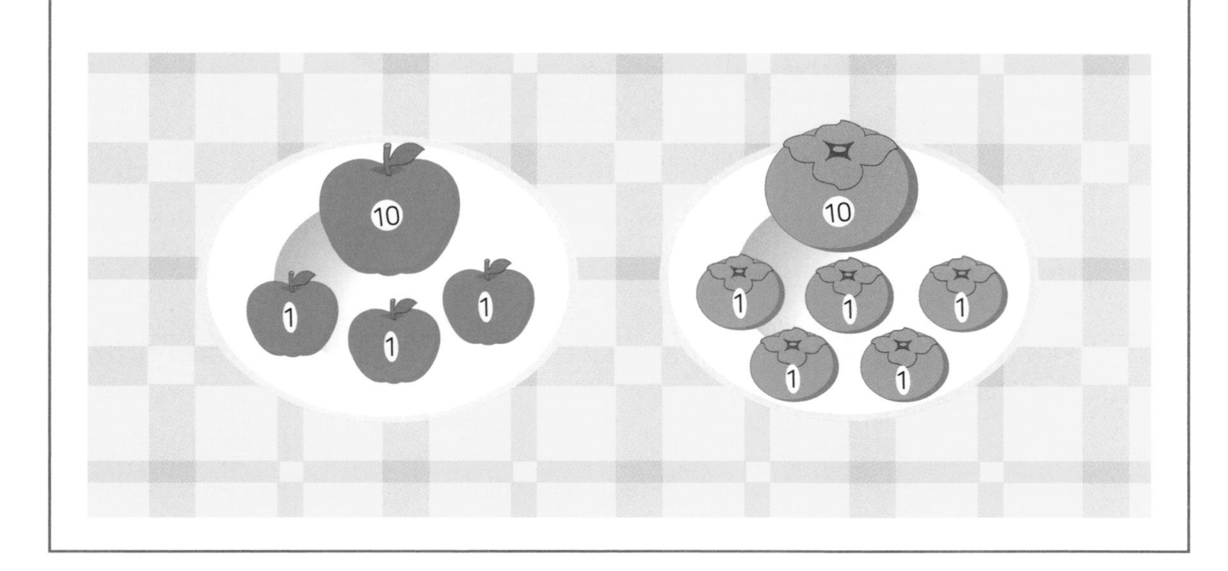

★ 가족들과 과일을 먹고 난 후 사과는 몇 개가 남았을까요?

식 : 13 - 6 = 7　　답 : 7 개

① 가족들과 과일을 먹고 난 후 감은 몇 개가 남았을까요?

식 : ______　　답 : ______ 개

문제를 읽고 알맞은 식과 답을 써 보세요.

① 영훈이는 쌓기나무를 15개 가지고 있었는데 친구에게 6개를 빌려주고 쌓기놀이를 하였습니다. 영훈이가 가지고 논 쌓기나무는 몇 개일까요?

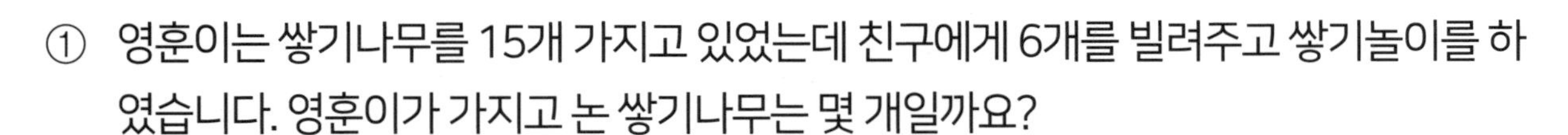

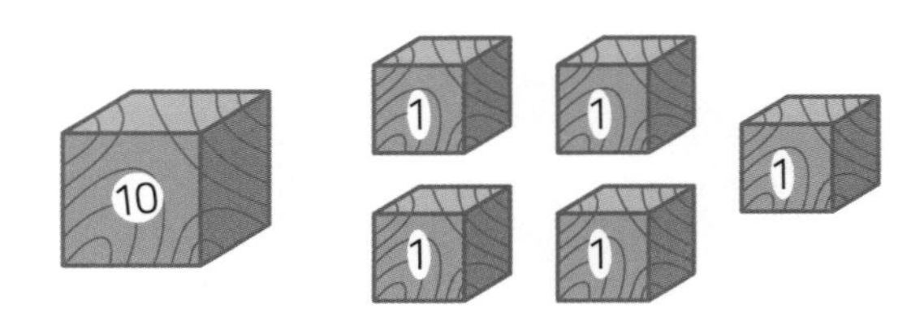

식 : ____________________ 답 : ______ 개

② 냉장고에 당근 13개가 있었는데 7개를 꺼내 음식을 만드는데 사용하였습니다. 냉장고에 남은 당근은 몇 개일까요?

식 : ____________________ 답 : ______ 개

③ 서랍을 열어 보니 티셔츠가 12개, 바지가 6개 있었습니다. 서랍에는 티셔츠가 바지보다 몇 개 더 많을까요?

식 : ____________________ 답 : ______ 개

문제를 읽고 알맞은 식과 답을 써 보세요.

① 수현이는 어머니와 포도를 땄는데 수현이는 11송이를, 어머니는 6송이를 땄습니다. 수현이는 어머니보다 몇 송이의 포도를 더 땄을까요?

식 : ____________________ 답 : ______ 송이

② 상희는 방학 동안 14권의 책을 읽기로 계획하고 일주일 만에 6권의 책을 읽었습니다. 상희가 계획한대로 되기 위해서는 방학 동안 몇 권의 책을 더 읽어야 할까요?

식 : ____________________ 답 : ______ 권

③ 컵으로 물을 12번 부으면 가득 차는 그릇이 있습니다. 7컵의 물을 부었다면 앞으로 몇 컵의 물을 부어야 할까요?

식 : ____________________ 답 : ______ 컵

문제를 읽고 알맞은 식과 답을 써 보세요.

① 식목일에 민성이와 아버지는 나무를 심었습니다. 민성이가 6그루, 아버지가 10그루의 나무를 심었다면 아버지는 민성이보다 몇 그루의 나무를 더 심었을까요?

식 : ______________________ 답 : ______ 그루

② 복숭아 14개를 학교에 가지고 가서 7개를 친구들에게 나누어 주었습니다. 남은 복숭아는 몇 개일까요?

식 : ______________________ 답 : ______ 개

③ 받아쓰기 시험을 봤는데 영진이는 16문제 중에 7문제를 맞혔습니다. 영진이가 받아쓰기에서 틀린 문제는 몇 문제일까요?

식 : ______________________ 답 : ______ 문제

4주차

도전! 계산왕

받아내림이 있는 뺄셈

공부한 날	월 일
점 수	/ 14

두 수의 일의 자리의 차가 작을 때에는 빼는 수를 갈라 빼면 편리합니다. 빼는 수를 갈라 계산해 보세요.

① $12 - 3 = \square$ (2, 1)

② $12 - 4 = \square$

③ $11 - 2 = \square$

④ $11 - 5 = \square$

⑤ $13 - 4 = \square$

⑥ $13 - 5 = \square$

⑦ $12 - 5 = \square$

⑧ $11 - 3 = \square$

⑨ $14 - 5 = \square$

⑩ $11 - 4 = \square$

⑪ $17 - 8 = \square$

⑫ $15 - 6 = \square$

⑬ $16 - 8 = \square$

⑭ $18 - 9 = \square$

받아내림이 있는 뺄셈

공부한 날	월 일
점 수	/ 14

두 수의 일의 자리의 차가 클 때에는 빼어지는 수를 갈라 빼면 편리합니다. 빼어지는 수를 갈라 계산해 보세요.

① $12 - 8 = \square$

2 10

② $11 - 8 = \square$

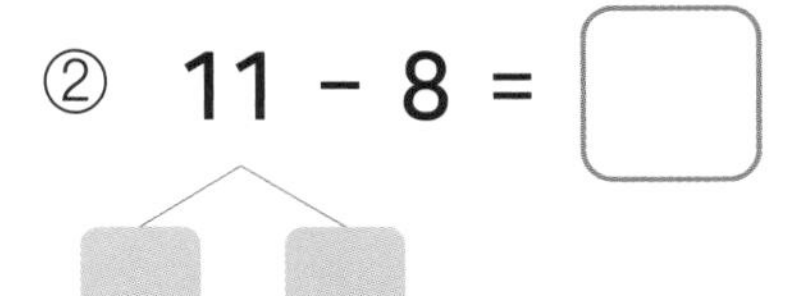

③ $13 - 9 = \square$

④ $14 - 9 = \square$

⑤ $12 - 7 = \square$

⑥ $11 - 5 = \square$

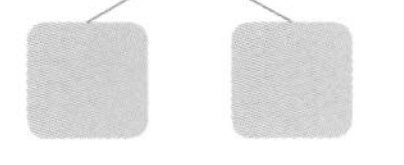

⑦ $12 - 9 = \square$

⑧ $14 - 8 = \square$

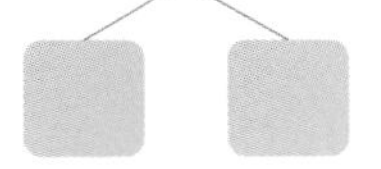

⑨ $15 - 9 = \square$

⑩ $11 - 9 = \square$

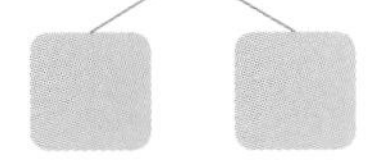

⑪ $11 - 6 = \square$

⑫ $12 - 6 = \square$

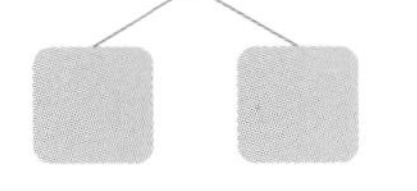

⑬ $13 - 8 = \square$

⑭ $11 - 7 = \square$

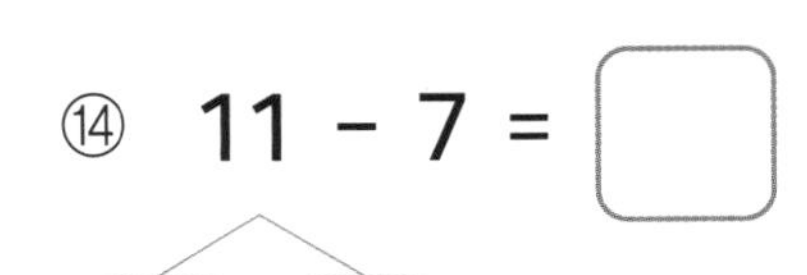

받아내림이 있는 뺄셈

공부한 날	월 일
점 수	/ 14

두 수의 일의 자리의 차가 작을 때에는 빼는 수를 갈라 빼면 편리합니다. 빼는 수를 갈라 계산해 보세요.

① 12 - 4 = ☐

2 2

② 15 - 6 = ☐

③ 13 - 4 = ☐

④ 11 - 3 = ☐

⑤ 14 - 6 = ☐

⑥ 13 - 5 = ☐

⑦ 11 - 2 = ☐

⑧ 16 - 8 = ☐

⑨ 14 - 5 = ☐

⑩ 12 - 5 = ☐

⑪ 17 - 8 = ☐

⑫ 15 - 7 = ☐

⑬ 18 - 9 = ☐

⑭ 13 - 6 = ☐

받아내림이 있는 뺄셈

공부한 날	월 일
점 수	/ 14

두 수의 일의 자리의 차가 클 때에는 빼어지는 수를 갈라 빼면 편리합니다. 빼어지는 수를 갈라 계산해 보세요.

① 13 - 8 = ☐
(3, 10)

② 11 - 8 = ☐

③ 12 - 9 = ☐

④ 14 - 9 = ☐

⑤ 11 - 9 = ☐

⑥ 13 - 7 = ☐

⑦ 12 - 7 = ☐

⑧ 13 - 9 = ☐

⑨ 11 - 6 = ☐

⑩ 15 - 9 = ☐

⑪ 14 - 8 = ☐

⑫ 12 - 8 = ☐

⑬ 11 - 7 = ☐

⑭ 12 - 6 = ☐

도전! 계산왕

3일 ❶

받아내림이 있는 뺄셈

공부한 날	월 일
점수	/ 14

두 수의 일의 자리의 차가 작을 때에는 빼는 수를 갈라 빼면 편리합니다. 빼는 수를 갈라 계산해 보세요.

① 13 - 4 = ☐ (4 → 3, 1)

② 11 - 4 = ☐

③ 17 - 8 = ☐

④ 14 - 5 = ☐

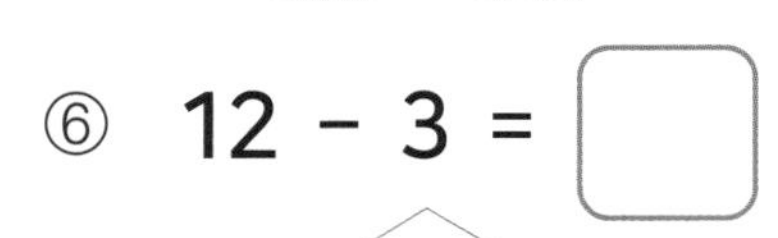

⑤ 13 - 5 = ☐

⑥ 12 - 3 = ☐

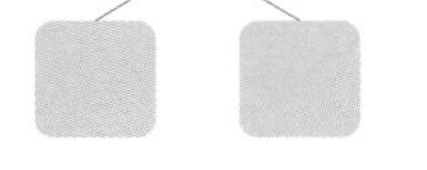

⑦ 13 - 6 = ☐

⑧ 14 - 7 = ☐

⑨ 18 - 9 = ☐

⑩ 16 - 7 = ☐

⑪ 15 - 8 = ☐

⑫ 15 - 6 = ☐

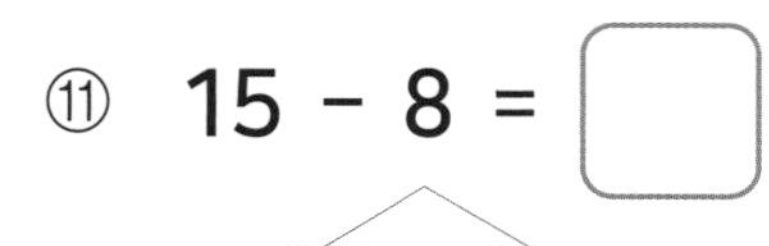

⑬ 16 - 8 = ☐

⑭ 17 - 9 = ☐

받아내림이 있는 뺄셈

공부한 날	월 일
점수	/ 14

두 수의 일의 자리의 차가 클 때에는 빼어지는 수를 갈라 빼면 편리합니다. 빼어지는 수를 갈라 계산해 보세요.

① 12 - 7 = □

2 10

② 12 - 8 = □

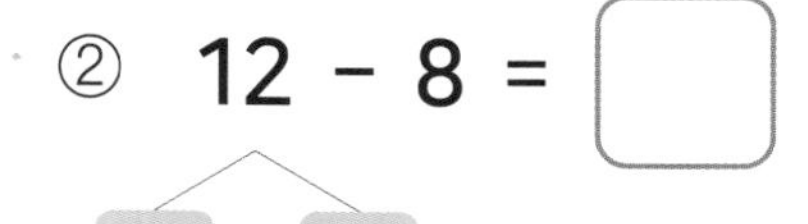

③ 15 - 9 = □

④ 13 - 9 = □

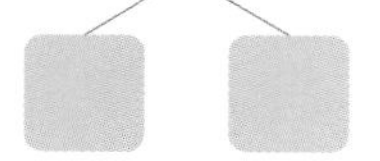

⑤ 11 - 6 = □

⑥ 11 - 8 = □

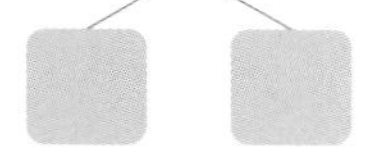

⑦ 13 - 8 = □

⑧ 12 - 9 = □

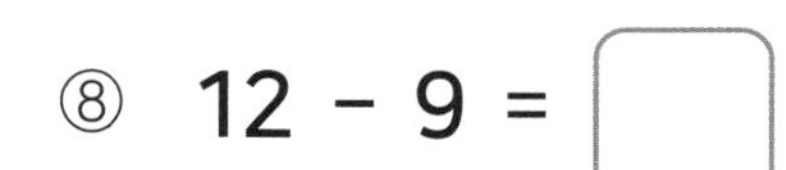

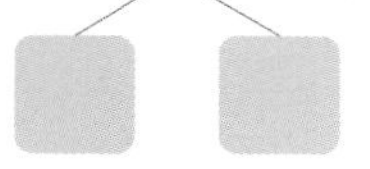

⑨ 14 - 9 = □

⑩ 11 - 9 = □

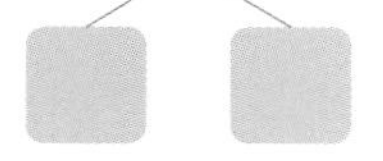

⑪ 11 - 5 = □

⑫ 12 - 6 = □

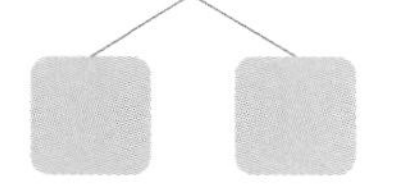

⑬ 14 - 8 = □

⑭ 11 - 7 = □

받아내림이 있는 뺄셈

공부한 날	월 일
점수	/ 14

두 수의 일의 자리의 차가 작을 때에는 빼는 수를 갈라 빼면 편리합니다. 빼는 수를 갈라 계산해 보세요.

① 11 - 5 = ☐ (1, 4)

② 12 - 5 = ☐

③ 11 - 2 = ☐

④ 15 - 6 = ☐

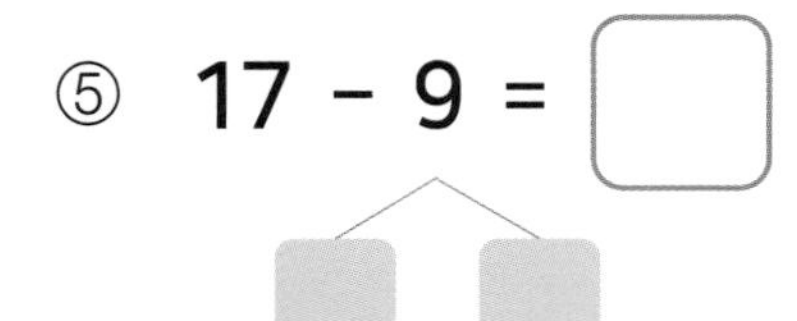

⑤ 17 - 9 = ☐

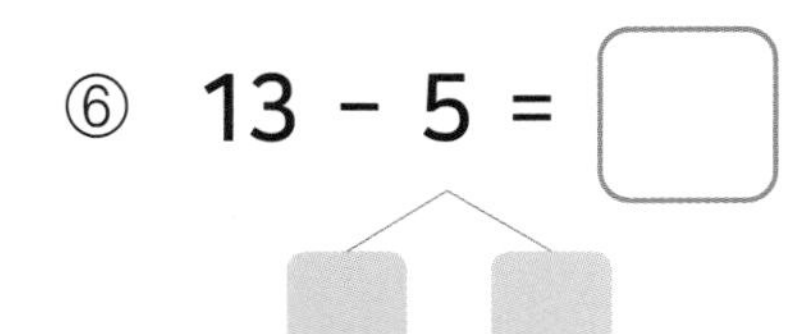

⑥ 13 - 5 = ☐

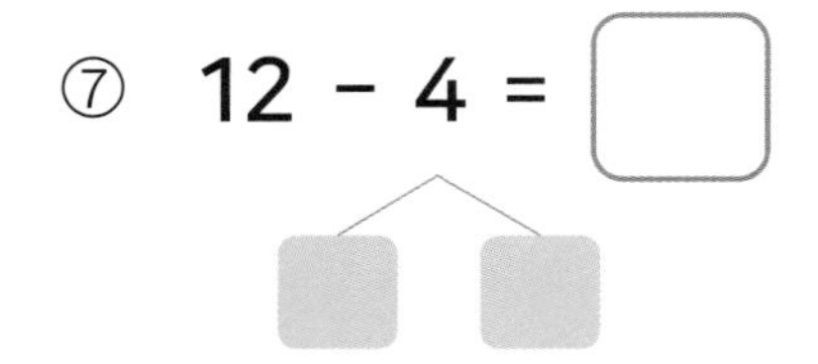

⑦ 12 - 4 = ☐

⑧ 16 - 7 = ☐

⑨ 16 - 8 = ☐

⑩ 18 - 9 = ☐

⑪ 11 - 4 = ☐

⑫ 15 - 7 = ☐

⑬ 12 - 3 = ☐

⑭ 14 - 6 = ☐

4일 ②

받아내림이 있는 뺄셈

공부한 날	월 일
점 수	/ 14

두 수의 일의 자리의 차가 클 때에는 빼어지는 수를 갈라 빼면 편리합니다. 빼어지는 수를 갈라 계산해 보세요.

① 11 - 8 = ☐

1 10

② 12 - 9 = ☐

③ 13 - 9 = ☐

④ 12 - 7 = ☐

⑤ 15 - 9 = ☐

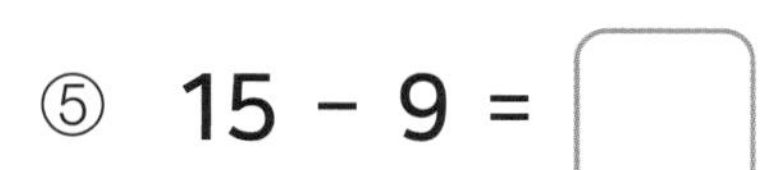

⑥ 14 - 8 = ☐

⑦ 12 - 8 = ☐

⑧ 13 - 8 = ☐

⑨ 11 - 7 = ☐

⑩ 12 - 6 = ☐

⑪ 14 - 9 = ☐

⑫ 13 - 7 = ☐

⑬ 11 - 6 = ☐

⑭ 11 - 9 = ☐

받아내림이 있는 뺄셈

공부한 날	월 일
점 수	/ 14

두 수의 일의 자리의 차가 작을 때에는 빼는 수를 갈라 빼면 편리합니다. 빼는 수를 갈라 계산해 보세요.

① 11 - 4 = □ (1, 3)

② 13 - 4 = □

③ 12 - 3 = □

④ 12 - 4 = □

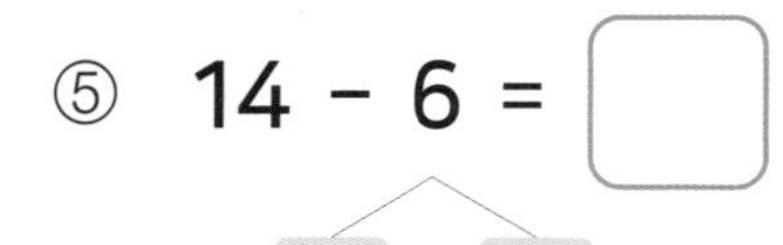

⑤ 14 - 6 = □

⑥ 15 - 6 = □

⑦ 13 - 5 = □

⑧ 16 - 8 = □

⑨ 17 - 8 = □

⑩ 16 - 9 = □

⑪ 17 - 9 = □

⑫ 14 - 5 = □

⑬ 11 - 2 = □

⑭ 16 - 7 = □

받아내림이 있는 뺄셈

공부한 날	월 일
점 수	/ 14

두 수의 일의 자리의 차가 클 때에는 빼어지는 수를 갈라 빼면 편리합니다. 빼어지는 수를 갈라 계산해 보세요.

① 12 - 7 = ☐

2　10

② 14 - 8 = ☐

③ 13 - 9 = ☐

④ 13 - 8 = ☐

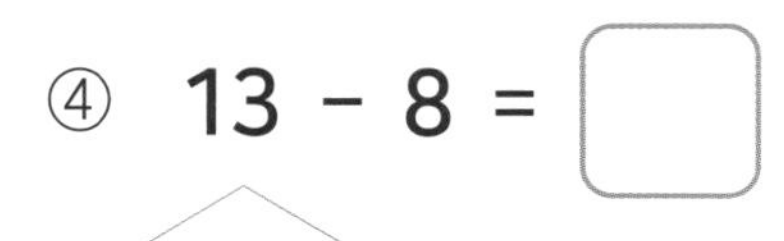

⑤ 12 - 8 = ☐

⑥ 11 - 9 = ☐

⑦ 11 - 7 = ☐

⑧ 12 - 9 = ☐

⑨ 13 - 7 = ☐

⑩ 11 - 5 = ☐

⑪ 14 - 9 = ☐

⑫ 12 - 6 = ☐

⑬ 15 - 9 = ☐

⑭ 11 - 6 = ☐

MEMO

5주차

빼기 5

뺄셈의 원리는 앞에서 다루었으므로 빼기 5는 5의 특징을 생각하여 직관적으로 접근하도록 했습니다. 5 작은 수와 5 큰 수는 다른 뛰어 세기에 비해서 쉽게 받아들이기 때문에 뛰어 세기를 통해서 빼기 5를 공부하고, 3일차부터는 다른 수의 빼기를 함께 다룹니다.

5의 단

□에 알맞은 수를 써넣으세요.

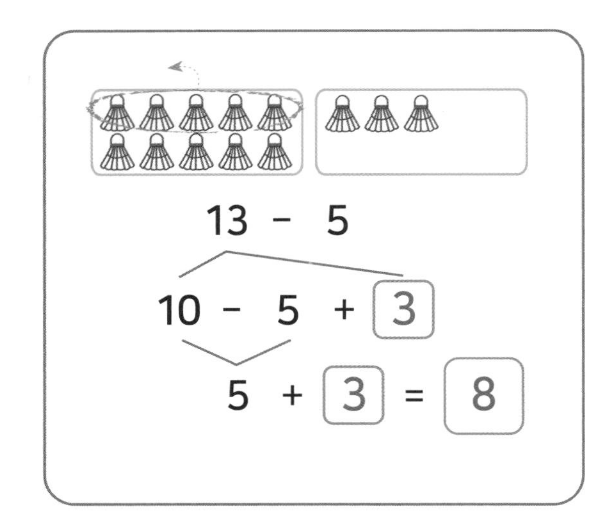

①
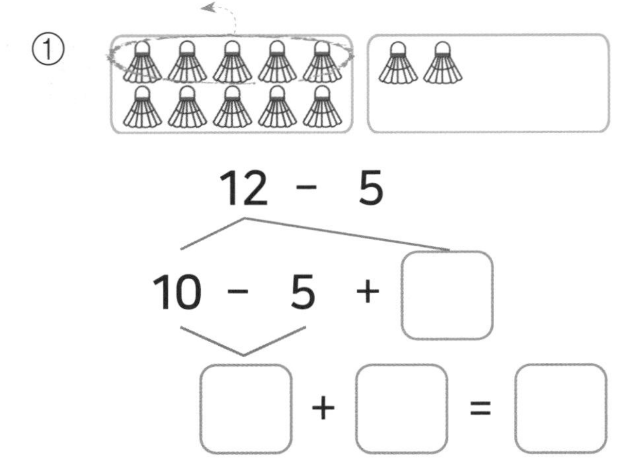

②
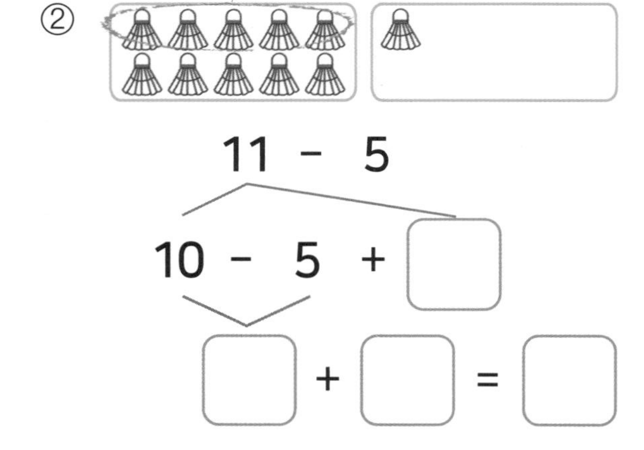

③
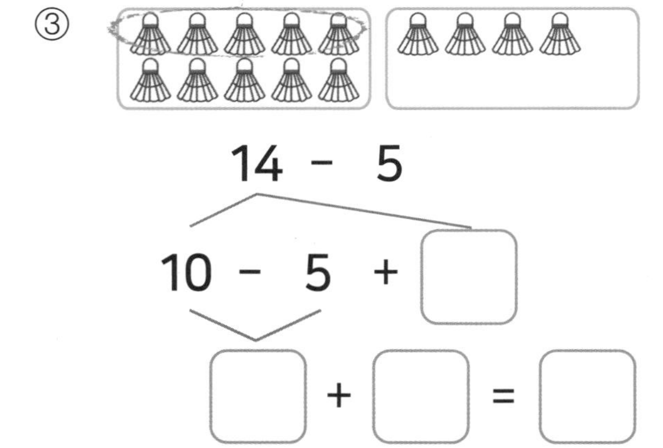

5의 단 뺄셈을 해 보세요.

① 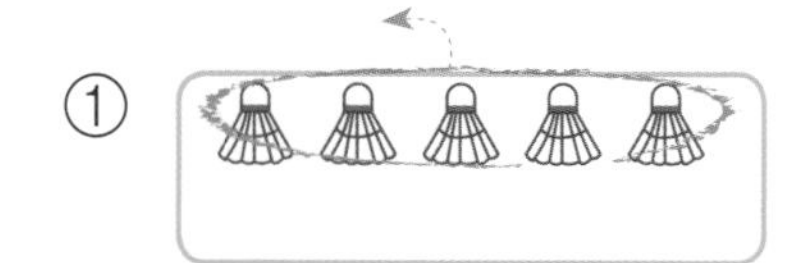 $5 - 5 = \square$

②  $6 - 5 = \square$

③  $7 - 5 = \square$

④  $8 - 5 = \square$

⑤  $9 - 5 = \square$

⑥  $10 - 5 = \square$

⑦  $11 - 5 = \square$

⑧ $12 - 5 = \square$

⑨ $13 - 5 = \square$

⑩ $14 - 5 = \square$

계산해 보세요.

① $10 - 5 =$

② $8 - 5 =$

③ $6 - 5 =$

④ $11 - 5 =$

⑤ $14 - 5 =$

⑥ $12 - 5 =$

⑦ $9 - 5 =$

⑧ $7 - 5 =$

⑨ $6 - 5 =$

⑩ $13 - 5 =$

⑪ $5 - 5 =$

⑫ $14 - 5 =$

⑬ $12 - 5 =$

⑭ $10 - 5 =$

⑮ $8 - 5 =$

⑯ $11 - 5 =$

빼기 5

5 작은 수와 5 큰 수를 구해 보세요.

①

② 10 (5 작은 수, 5 큰 수)

③

④ 14 (5 작은 수, 5 큰 수)

⑤

⑥ 11 (5 작은 수, 5 큰 수)

⑦

⑧ 9 (5 작은 수, 5 큰 수)

⑨ 6 (5 작은 수, 5 큰 수)

계산 결과가 같은 것을 선으로 이어 보세요.

14 − 8　　9 − 8　　13 − 6　　12 − 7　　11 − 8

7 − 5　　13 − 5　　5 − 5　　14 − 5　　9 − 5

9 − 9　　11 − 9　　16 − 7　　12 − 4　　13 − 9

계산해 보세요.

① $10 - 5 =$

② $8 - 5 =$

③ $7 - 5 =$

④ $11 - 5 =$

⑤ $13 - 5 =$

⑥ $9 - 5 =$

⑦ $14 - 5 =$

⑧ $6 - 5 =$

⑨ $8 - 5 =$

⑩ $5 - 5 =$

⑪ $11 - 5 =$

⑫ $13 - 5 =$

⑬ $12 - 5 =$

⑭ $7 - 5 =$

⑮ $8 - 5 =$

⑯ $10 - 5 =$

수 막대와 수직선

수 막대를 붙여 놓았습니다. □에 막대의 길이를 써넣으세요.

①

②

③

④
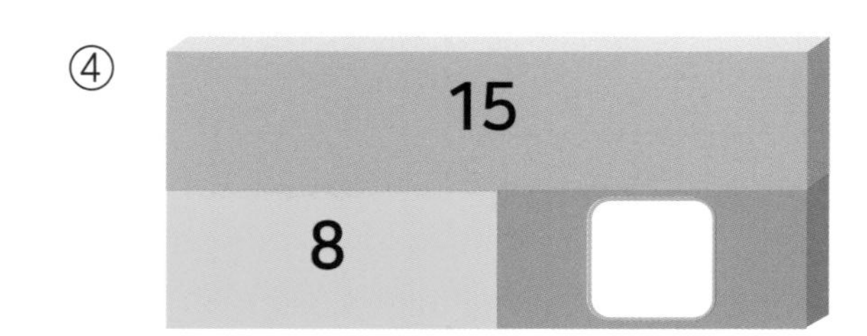

⑤
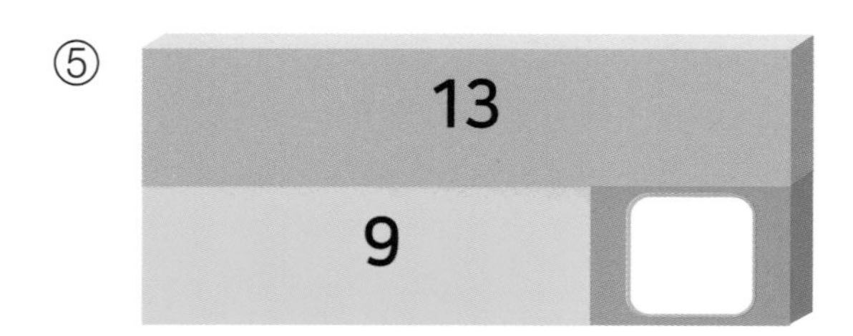

⑥

⑦

⑧

⑨

13

4

⑩

□에 알맞은 수를 써넣으세요.

①

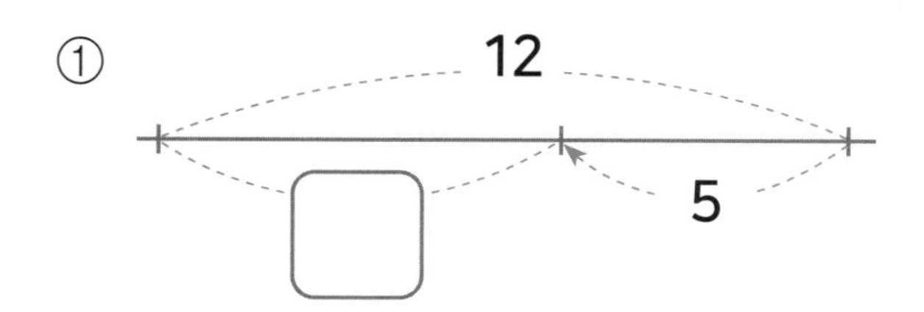

②

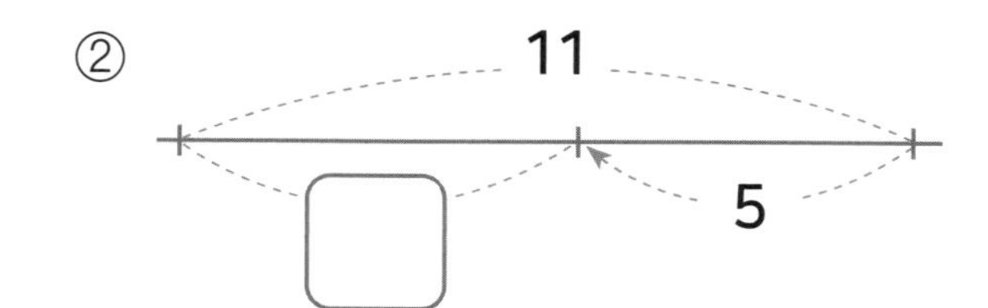

③

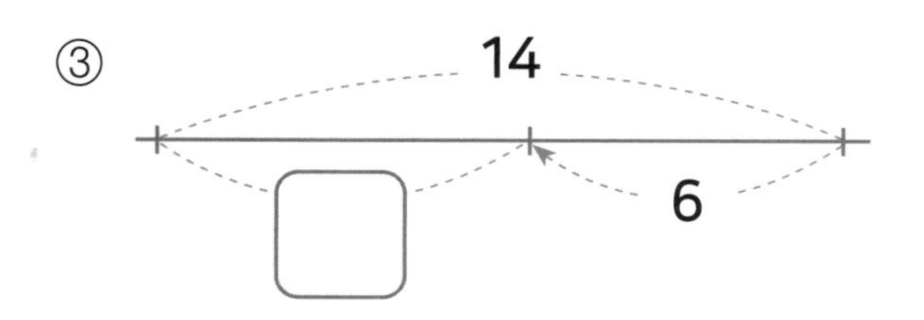

④

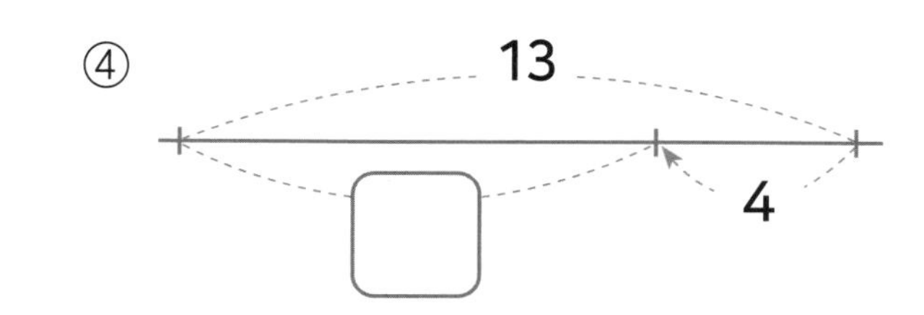

⑤

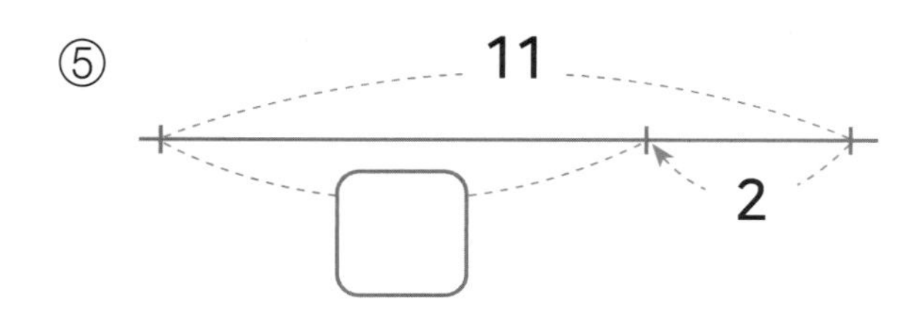

⑥

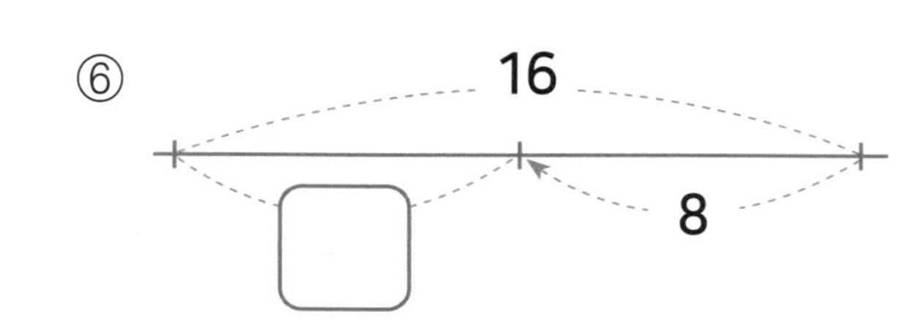

⑦

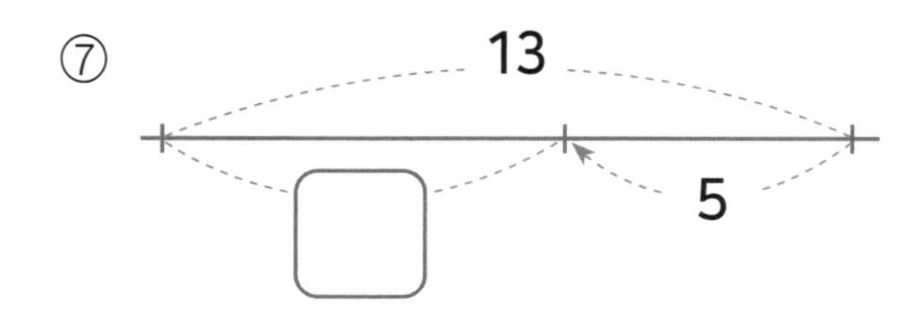

⑧

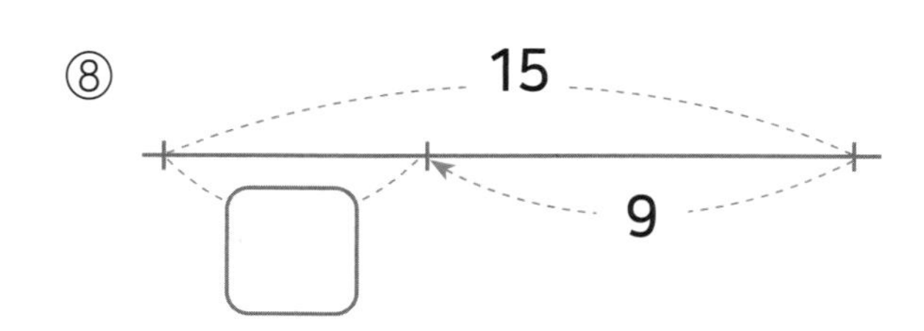

⑨

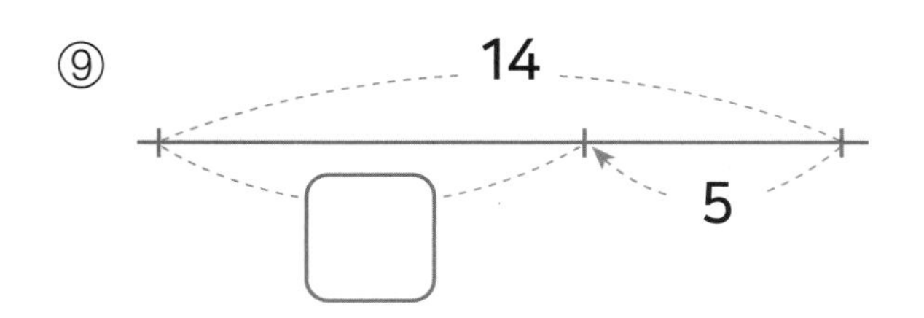

⑩

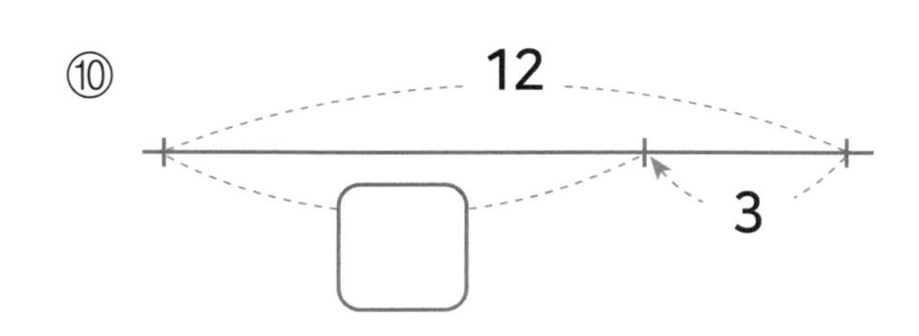

□에 알맞은 수를 써넣으세요.

①

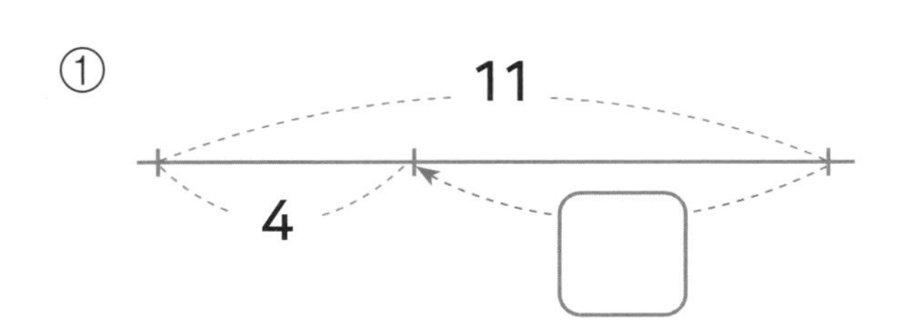

②

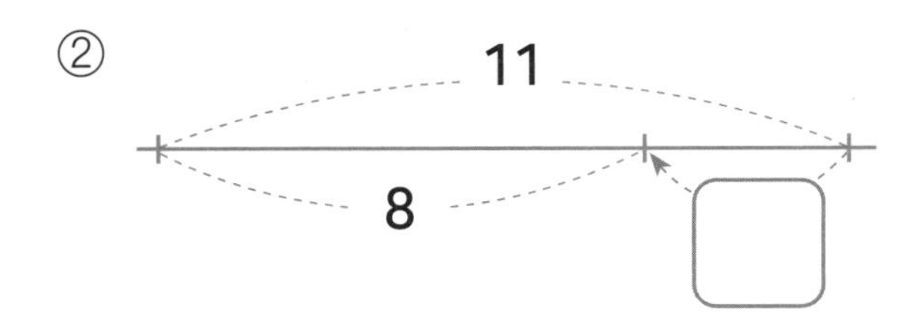

③

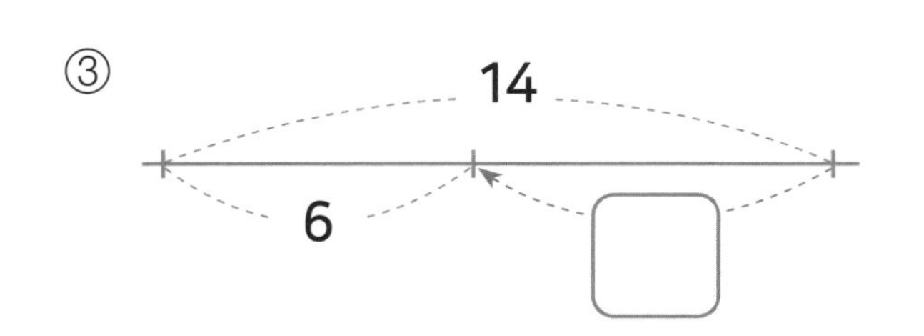

④

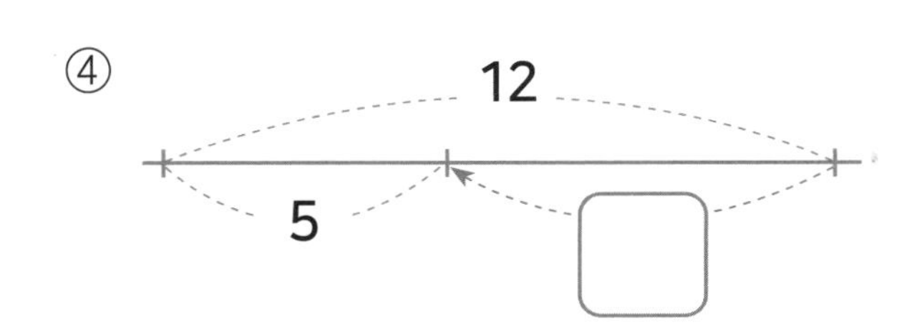

⑤

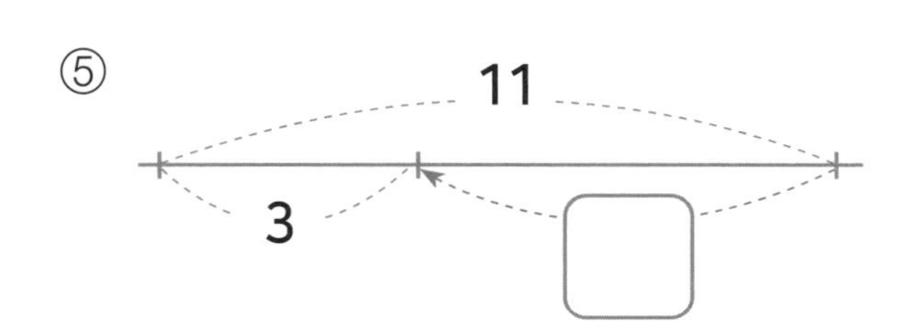

⑥

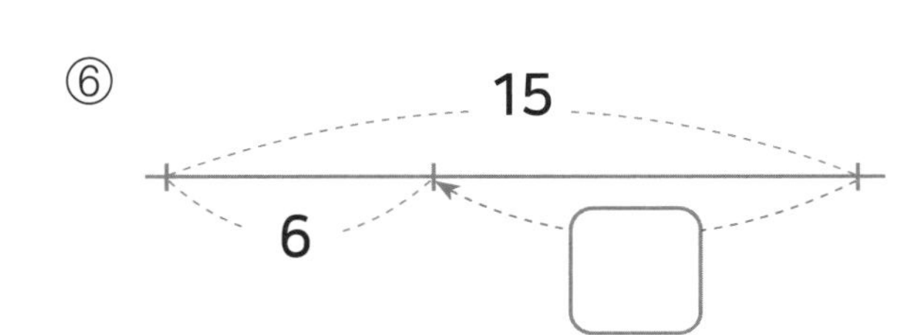

⑦

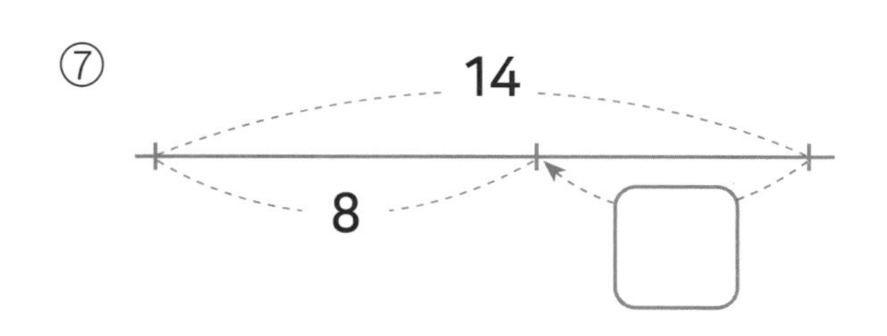

⑧

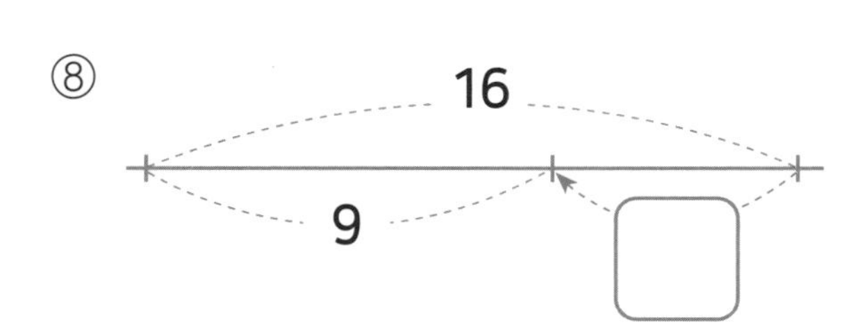

⑨

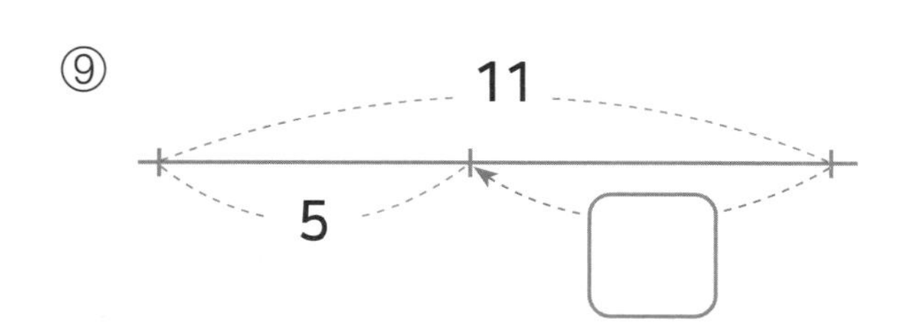

⑩

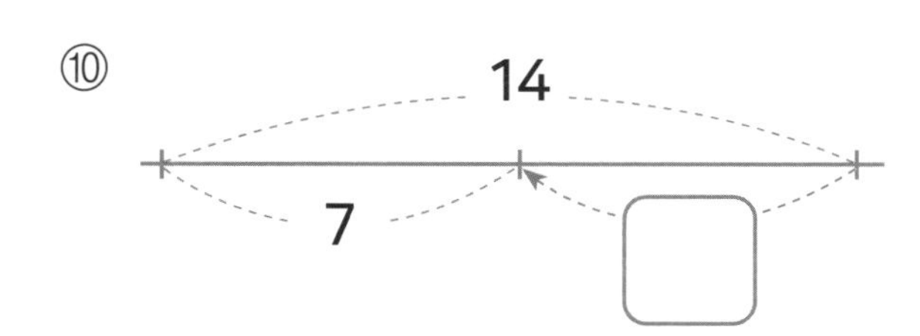

연산 퍼즐

가로, 세로로 수의 차를 □에 써넣으세요.

	6		
	12	7	5
9	6	15	
		8	

12 − 7 = 5

	□		
	13	9	□
□	5	11	
		□	

	□		
	5	12	□
□	14	8	
		□	

	□		
	4	12	□
□	11	6	
		□	

	□		
	15	9	□
□	7	12	
		□	

	□		
	13	6	□
□	7	14	
		□	

두 수의 차가 더 큰 것에 ◯표 하세요.

문장제

글과 그림을 보고 질문에 알맞은 식을 세우고 답을 구하세요.

꽃밭에 벌 11마리와 잠자리 14마리가 있었는데 각각 5마리씩 동시에 날아가 버렸습니다.

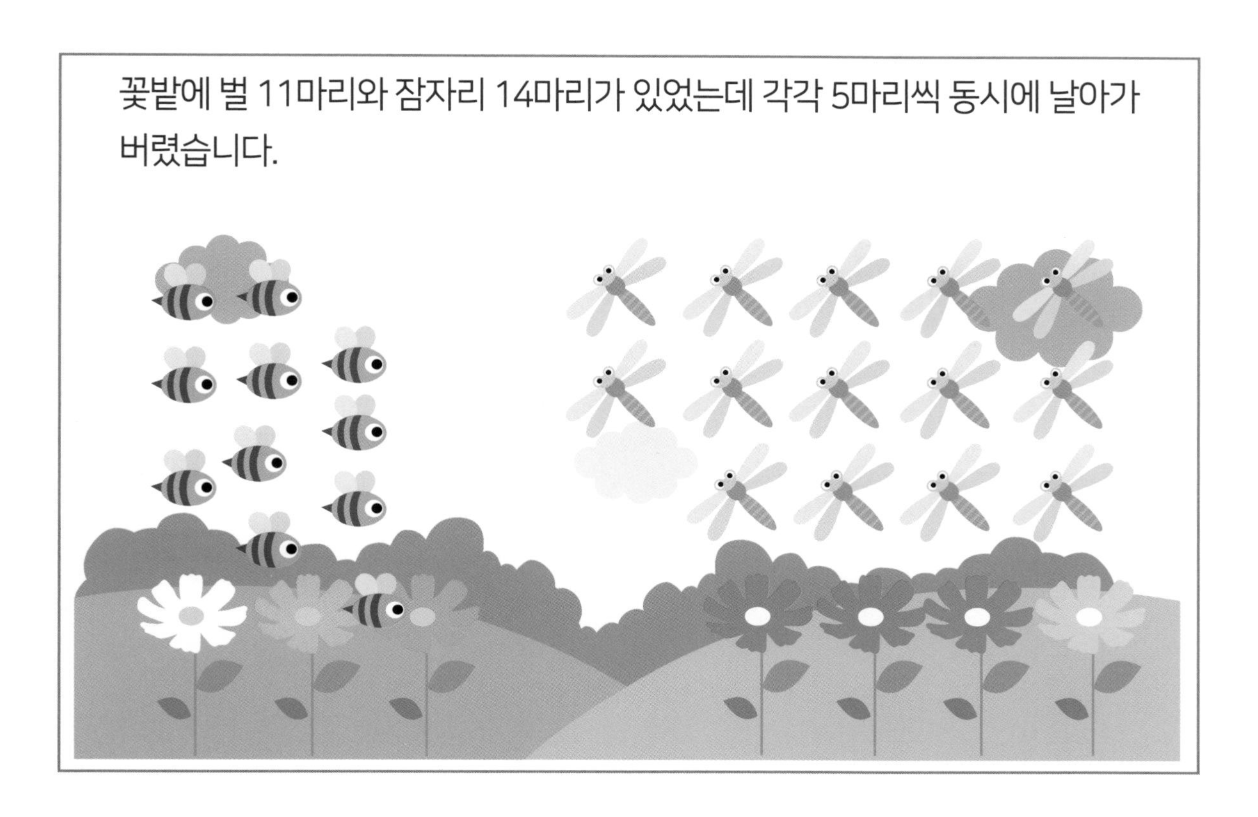

★ 꽃밭에 남아 있는 벌은 몇 마리입니까?

식 : 11 - 5 = 6 답 : 6 마리

① 꽃밭에 남아 있는 잠자리는 몇 마리입니까?

식 : ______ 답 : ______ 마리

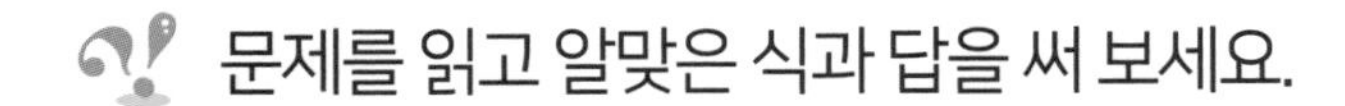
문제를 읽고 알맞은 식과 답을 써 보세요.

① 상민이는 12개의 파란색 구슬과 7개의 초록색 구슬을 가지고 있습니다. 파란색 구슬을 초록색 구슬보다 몇 개 더 가지고 있을까요?

식 : ______________________ 답 : ______ 개

② 과수원에서 아버지는 12송이, 어머니는 9송이의 포도를 땄습니다. 아버지는 어머니보다 몇 송이의 포도를 더 땄을까요?

식 : ______________________ 답 : ______ 송이

문제를 읽고 알맞은 식과 답을 써 보세요.

① 동혁이네 누나는 동혁이보다 5살이 더 많습니다. 누나의 나이가 13살일 때, 동혁이의 나이는 몇 살일까요?

식 : ______________________ 답 : ______ 살

② 체육 시간에 턱걸이를 두 번 했는데 두 번째에는 첫 번째보다 3개를 더 못했습니다. 처음 12개의 턱걸이를 했다면 두 번째는 몇 개의 턱걸이를 하였을까요?

식 : ______________________ 답 : ______ 개

③ 피자를 8조각으로 나누어 2조각을 먼저 먹었습니다. 남은 피자는 몇 조각일까요?

식 : ______________________ 답 : ______ 조각

문제를 읽고 알맞은 식과 답을 써 보세요.

① 태훈이는 제과점에서 곰보빵을 15개, 단팥빵을 9개 샀습니다. 태훈이가 산 곰보빵은 단팥빵보다 몇 개 더 많을까요?

식 : ______________________ 답 : ______ 개

② 냉장고를 열어 보니 달걀이 12개 있어서 5개를 꺼내어 먹었습니다. 냉장고에 남은 달걀은 몇 개일까요?

식 : ______________________ 답 : ______ 개

③ 민섭이는 숙제로 수학 문제 15문제를 풀어야 하는데 지금까지 6문제를 풀었습니다. 민섭이가 더 풀어야 할 수학 문제는 몇 문제일까요?

식 : ______________________ 답 : ______ 문제

6주차

도전! 계산왕

받아내림이 있는 뺄셈

계산해 보세요.

① $12-4=$	② $11-8=$	③ $14-6=$
④ $12-7=$	⑤ $12-9=$	⑥ $14-9=$
⑦ $16-9=$	⑧ $14-5=$	⑨ $11-9=$
⑩ $11-4=$	⑪ $16-8=$	⑫ $11-7=$
⑬ $11-6=$	⑭ $11-5=$	⑮ $16-7=$
⑯ $13-7=$	⑰ $13-5=$	⑱ $13-8=$
⑲ $17-9=$	⑳ $12-5=$	㉑ $14-8=$
㉒ $15-9=$	㉓ $17-8=$	㉔ $11-3=$

1일 ❷

받아내림이 있는 뺄셈

공부한 날	월 일
점수	/ 24

계산해 보세요.

① $11 - 8 =$ ② $12 - 6 =$ ③ $13 - 8 =$

④ $11 - 4 =$ ⑤ $14 - 8 =$ ⑥ $17 - 8 =$

⑦ $12 - 3 =$ ⑧ $17 - 9 =$ ⑨ $13 - 7 =$

⑩ $13 - 5 =$ ⑪ $16 - 7 =$ ⑫ $18 - 9 =$

⑬ $13 - 6 =$ ⑭ $12 - 8 =$ ⑮ $11 - 6 =$

⑯ $15 - 8 =$ ⑰ $13 - 4 =$ ⑱ $11 - 5 =$

⑲ $14 - 7 =$ ⑳ $14 - 9 =$ ㉑ $15 - 9 =$

㉒ $14 - 5 =$ ㉓ $13 - 9 =$ ㉔ $15 - 7 =$

받아내림이 있는 뺄셈

공부한 날	월 일
점 수	/ 24

계산해 보세요.

① 13 − 5 =
② 11 − 4 =
③ 15 − 6 =

④ 18 − 9 =
⑤ 14 − 7 =
⑥ 14 − 8 =

⑦ 12 − 7 =
⑧ 13 − 9 =
⑨ 13 − 6 =

⑩ 11 − 7 =
⑪ 15 − 9 =
⑫ 11 − 8 =

⑬ 14 − 9 =
⑭ 11 − 5 =
⑮ 14 − 5 =

⑯ 11 − 9 =
⑰ 16 − 8 =
⑱ 16 − 7 =

⑲ 12 − 4 =
⑳ 11 − 6 =
㉑ 16 − 9 =

㉒ 12 − 5 =
㉓ 13 − 4 =
㉔ 13 − 7 =

받아내림이 있는 뺄셈

공부한 날	월 일
점수	/ 24

계산해 보세요.

① $11 - 7 =$

② $17 - 8 =$

③ $14 - 5 =$

④ $14 - 6 =$

⑤ $11 - 6 =$

⑥ $15 - 9 =$

⑦ $12 - 8 =$

⑧ $14 - 9 =$

⑨ $13 - 4 =$

⑩ $12 - 4 =$

⑪ $13 - 5 =$

⑫ $15 - 8 =$

⑬ $11 - 5 =$

⑭ $13 - 9 =$

⑮ $12 - 6 =$

⑯ $14 - 8 =$

⑰ $18 - 9 =$

⑱ $11 - 8 =$

⑲ $15 - 6 =$

⑳ $12 - 7 =$

㉑ $12 - 9 =$

㉒ $13 - 7 =$

㉓ $14 - 7 =$

㉔ $11 - 9 =$

받아내림이 있는 뺄셈

계산해 보세요.

① $11-5=$ ② $13-5=$ ③ $16-7=$

④ $16-8=$ ⑤ $11-2=$ ⑥ $13-8=$

⑦ $11-8=$ ⑧ $12-9=$ ⑨ $11-4=$

⑩ $17-8=$ ⑪ $13-7=$ ⑫ $11-7=$

⑬ $14-8=$ ⑭ $12-7=$ ⑮ $15-6=$

⑯ $12-6=$ ⑰ $17-9=$ ⑱ $16-9=$

⑲ $14-9=$ ⑳ $18-9=$ ㉑ $15-7=$

㉒ $11-3=$ ㉓ $12-8=$ ㉔ $13-9=$

받아내림이 있는 뺄셈

공부한 날	월 일
점수	/ 24

계산해 보세요.

① $11 - 3 =$ ② $14 - 9 =$ ③ $14 - 8 =$

④ $13 - 8 =$ ⑤ $12 - 3 =$ ⑥ $11 - 5 =$

⑦ $15 - 9 =$ ⑧ $13 - 6 =$ ⑨ $13 - 9 =$

⑩ $15 - 6 =$ ⑪ $16 - 8 =$ ⑫ $14 - 5 =$

⑬ $11 - 9 =$ ⑭ $16 - 9 =$ ⑮ $12 - 7 =$

⑯ $11 - 2 =$ ⑰ $12 - 9 =$ ⑱ $15 - 8 =$

⑲ $16 - 7 =$ ⑳ $11 - 6 =$ ㉑ $14 - 6 =$

㉒ $12 - 5 =$ ㉓ $11 - 7 =$ ㉔ $11 - 8 =$

받아내림이 있는 뺄셈

계산해 보세요.

① 11 - 4 =	② 14 - 9 =	③ 13 - 4 =
④ 11 - 6 =	⑤ 11 - 3 =	⑥ 16 - 7 =
⑦ 11 - 7 =	⑧ 12 - 8 =	⑨ 14 - 6 =
⑩ 15 - 9 =	⑪ 12 - 9 =	⑫ 11 - 5 =
⑬ 12 - 3 =	⑭ 12 - 6 =	⑮ 17 - 8 =
⑯ 15 - 8 =	⑰ 13 - 8 =	⑱ 17 - 9 =
⑲ 15 - 7 =	⑳ 14 - 7 =	㉑ 12 - 4 =
㉒ 13 - 5 =	㉓ 11 - 9 =	㉔ 16 - 9 =

4일 ❷

받아내림이 있는 뺄셈

공부한 날	월 일
점 수	/ 24

계산해 보세요.

① $12-9=$

② $16-7=$

③ $11-4=$

④ $17-9=$

⑤ $15-7=$

⑥ $12-7=$

⑦ $14-8=$

⑧ $12-3=$

⑨ $13-4=$

⑩ $14-9=$

⑪ $15-6=$

⑫ $15-8=$

⑬ $14-6=$

⑭ $12-5=$

⑮ $16-8=$

⑯ $14-5=$

⑰ $13-8=$

⑱ $18-9=$

⑲ $13-7=$

⑳ $11-7=$

㉑ $11-3=$

㉒ $11-5=$

㉓ $12-4=$

㉔ $14-7=$

받아내림이 있는 뺄셈

공부한 날	월 일
점 수	/ 24

계산해 보세요.

① $12 - 5 =$ ② $18 - 9 =$ ③ $12 - 8 =$

④ $12 - 6 =$ ⑤ $13 - 4 =$ ⑥ $13 - 8 =$

⑦ $11 - 2 =$ ⑧ $12 - 3 =$ ⑨ $14 - 9 =$

⑩ $13 - 7 =$ ⑪ $12 - 9 =$ ⑫ $13 - 5 =$

⑬ $17 - 8 =$ ⑭ $15 - 9 =$ ⑮ $13 - 9 =$

⑯ $16 - 8 =$ ⑰ $11 - 5 =$ ⑱ $11 - 6 =$

⑲ $11 - 3 =$ ⑳ $16 - 9 =$ ㉑ $11 - 8 =$

㉒ $14 - 6 =$ ㉓ $12 - 4 =$ ㉔ $11 - 4 =$

받아내림이 있는 뺄셈

공부한 날	월 일
점 수	/ 24

계산해 보세요.

① $14-5=$

② $13-4=$

③ $11-4=$

④ $16-7=$

⑤ $13-8=$

⑥ $14-8=$

⑦ $11-7=$

⑧ $16-9=$

⑨ $12-8=$

⑩ $12-5=$

⑪ $13-7=$

⑫ $11-5=$

⑬ $12-3=$

⑭ $11-6=$

⑮ $13-9=$

⑯ $12-7=$

⑰ $17-8=$

⑱ $14-6=$

⑲ $12-9=$

⑳ $15-6=$

㉑ $16-8=$

㉒ $12-6=$

㉓ $11-9=$

㉔ $12-4=$

MEMO

 1000math.com

홈페이지

· 천종현수학연구소 소개 및 학습 자료 공유
· 출판 교재, 연구소 굿즈 구입

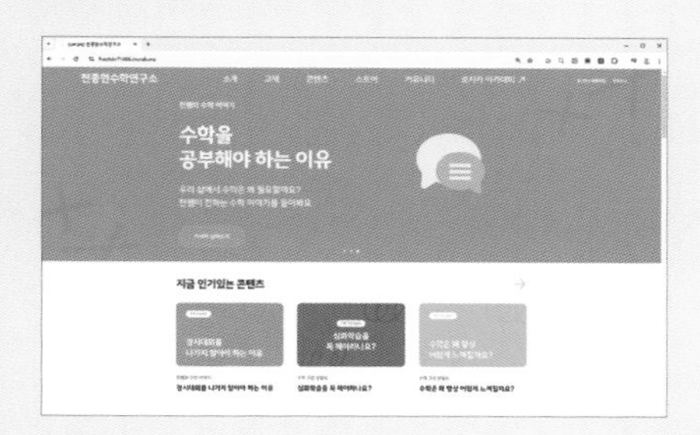

 cafe.naver.com/maths1000

네이버카페

· 다양한 이벤트 및 '천쌤수학학습단' 진행
· 학습 상담 게시판 운영

 https://www.instagram.com/1000maths

인스타그램

· 수학고민상담소 '천쌤에게 물어보셈' 릴스 보기
· 가장 빠르게 만나는 연구소 소식 및 이벤트

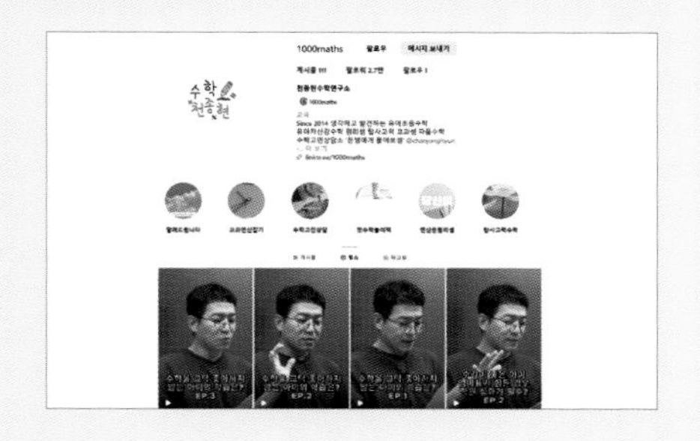

 https://www.youtube.com/@1000math4U

유튜브

· 인스타 라이브방송 '천쌤에게 물어보셈' 다시 보기
· 고민 상담 사례 및 수학교육 기획 콘텐츠

천종현수학연구소는
유아 초등 수학 교재와 **콘텐츠**를 꾸준히 **개발**하고 있습니다. 네이버에 '**천종현수학연구소**'를 검색하시거나 **인스타그램**, **유튜브** 등 다양한 채널을 통해서도 **연산**과 **사고력 수학**, **교과 심화 학습**에 대한 **노하우**와 **정보**를 다양하게 제공합니다. 지금 바로 만나보세요.

SINCE **2014**

천종현수학연구소 출판 교재

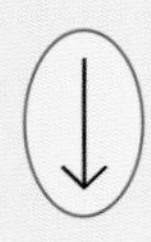

01
유아 자신감 수학

썼다 지웠다 붙였다 뗐다
우리 아이의 첫 수학 교재

02
TOP 사고력 수학

실력도 탑! 재미도 탑!
사고력 수학의 으뜸

03
교과셈

사칙연산+도형, 측정, 경우의 수까지
반복 학습이 필요한 초등 연산 완성

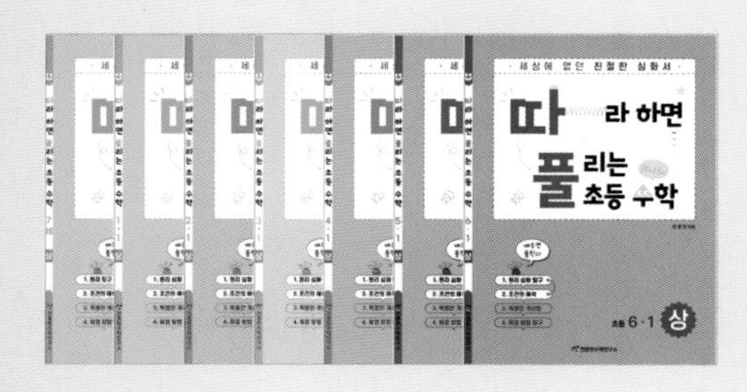

04
따풀 수학

다양한 개념과 해결 방법을 배우는
배움이 있는 학습지

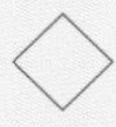

05
초등 사고력 수학의 원리/전략

진정한 수학 실력은 원리의 이해와 문제 해결 전략에서
재미있게 읽는 17년 초등 사고력 수학의 노하우!!

교과 과정
완벽 대비
★★★★★

원리셈

천종현 지음

1학년 3

뺄셈구구

천종현수학연구소

1주차 - 빼기 2, 3, 4

10쪽

① 1, 2
2, 8

② 2, 2
2, 8

③ 1, 1
1, 9

11쪽

① 8
2, 2

② 9
1, 1

③ 8
1, 2

④ 7
1, 3

⑤ 9
2, 1

⑥ 9
3, 1

⑦ 8
3, 2

⑧ 9
4, 1

⑨ 7
2, 3

12쪽

① 9

② 9 ③ 9

④ 7 ⑤ 8

⑥ 8 ⑦ 9

⑧ 7 ⑨ 8

13쪽

① 0	⑥ 5
② 1	⑦ 6
③ 2	⑧ 7
④ 3	⑨ 8
⑤ 4	⑩ 9

14쪽

① 0	⑥ 5
② 1	⑦ 6
③ 2	⑧ 7
④ 3	⑨ 8
⑤ 4	⑩ 9

15쪽

① 0	⑥ 5
② 1	⑦ 6
③ 2	⑧ 7
④ 3	⑨ 8
⑤ 4	⑩ 9

16쪽

① 7 ② 7

③ 6 ④ 9

⑤ 9 ⑥ 4

⑦ 8 ⑧ 9

⑨ 5 ⑩ 6

⑪ 8 ⑫ 5

⑬ 3 ⑭ 8

⑮ 7 ⑯ 7

17쪽

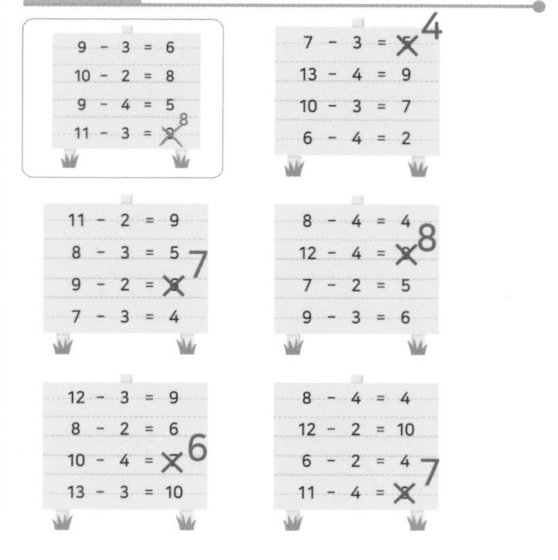

18쪽

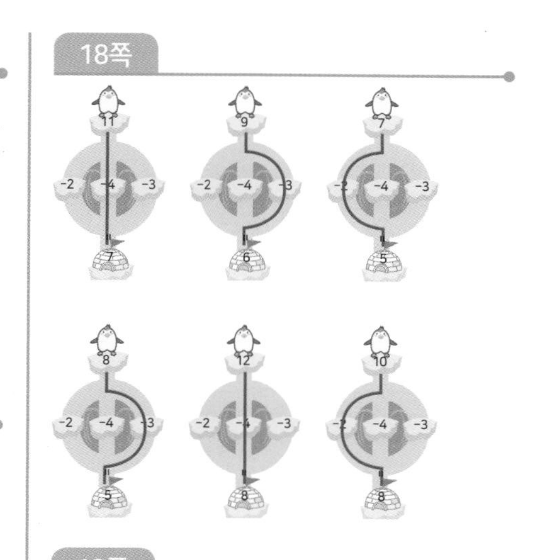

19쪽

8	4		4
	11	2	9
3		7	4
5	7	5	-

6		2	4
	3	12	9
4	10		6
2	7	10	-

	4	5	1
9		2	7
3	13		10
6	9	3	-

8		2	6
4	11		7
	3	4	1
4	8	2	-

	4	13	9
3	6		3
10		2	8
7	2	11	-

20쪽

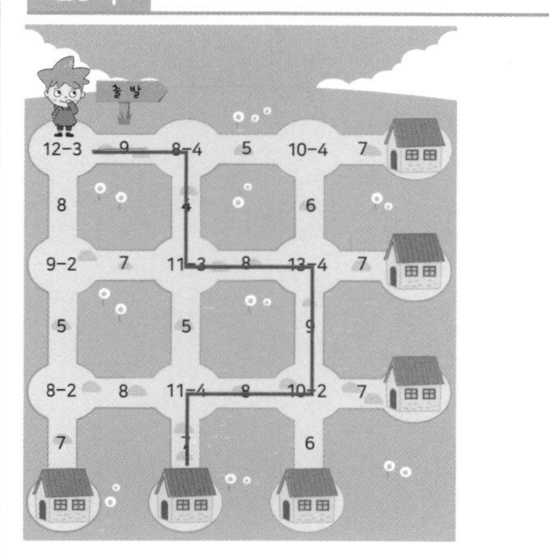

21쪽

① 12-4=8, 8

22쪽

① 12-3=9, 9

② 13-4=9, 9

23쪽

① 10-3=7, 7

② 10-2=8, 8

③ 9-4=5, 5

24쪽

① 10-4=6, 6

② 11-4=7, 7

③ 11-3=8, 8

2주차 - 빼기 9, 8

26쪽

① 5
2, 5, 7

② 1
2, 1, 3

③ 4
1, 4, 5

27쪽

① 4
2, 10

② 7
6, 10

③ 4
3, 10

④ 3
1, 10

⑤ 6
4, 10

⑥ 8
6, 10

⑦ 7
5, 10

⑧ 6
5, 10

⑨ 8
7, 10

28쪽

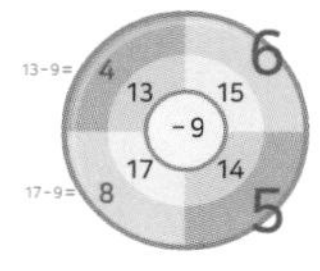

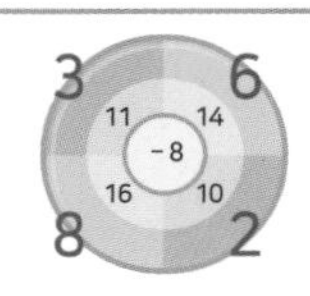

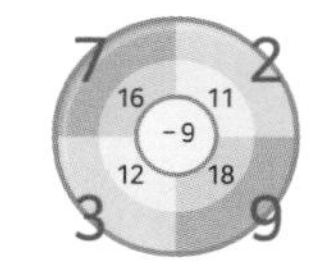

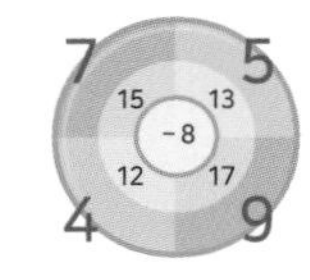

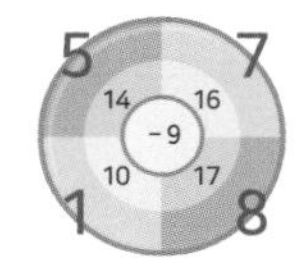

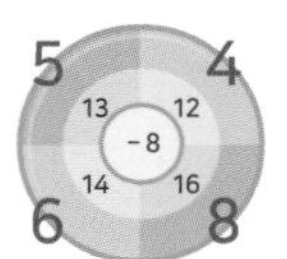

29쪽

① 0

② 1

③ 2

④ 3

⑤ 4

⑥ 5

⑦ 6

⑧ 7

⑨ 8

⑩ 9

30쪽

① 0

② 1

③ 2

④ 3

⑤ 4

⑥ 5

⑦ 6

⑧ 7

⑨ 8

⑩ 9

31쪽

① 5 ② 2

③ 2 ④ 1

⑤ 7 ⑥ 4

⑦ 3 ⑧ 7

⑨ 6 ⑩ 8

⑪ 8 ⑫ 3

⑬ 6 ⑭ 4

⑮ 9 ⑯ 5

32쪽

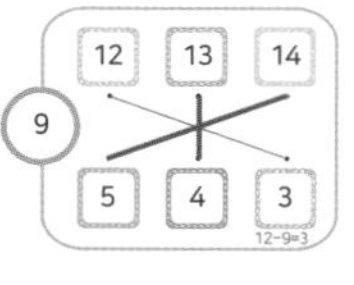

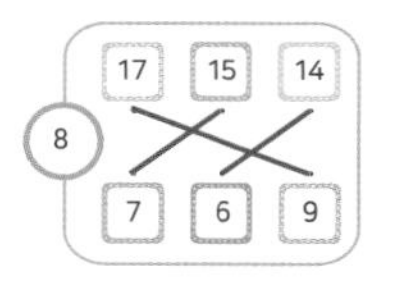

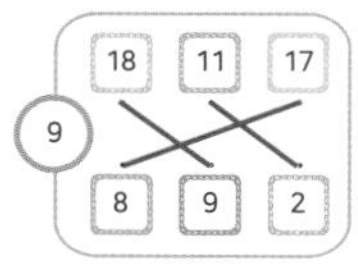

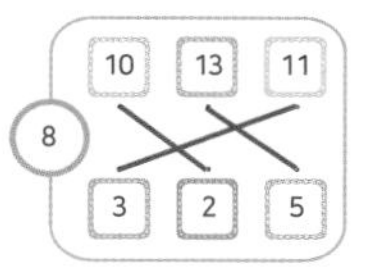

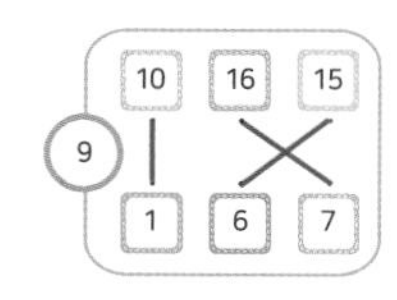

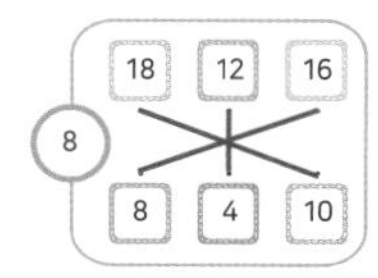

33쪽

① 3 ② 1

③ 6 ④ 6

⑤ 3 ⑥ 3

⑦ 8 ⑧ 8

⑨ 7 ⑩ 4

⑪ 9 ⑫ 2

⑬ 7 ⑭ 5

⑮ 4 ⑯ 5

34쪽

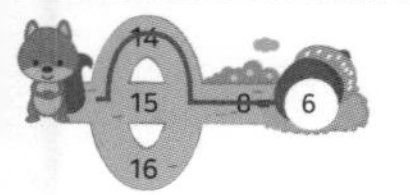

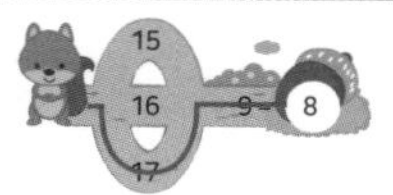

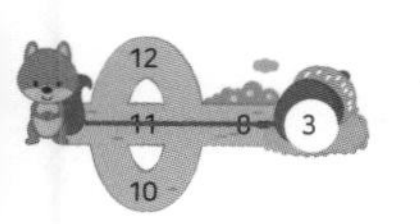

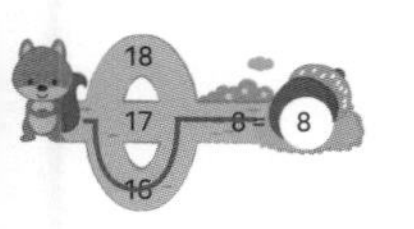

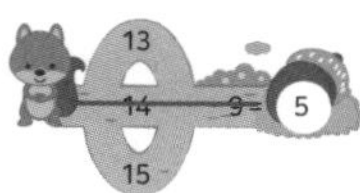

35쪽

① 2
8, 5, 9
7, 3, 4

② 6, 8, 5
4, 2, 9
7, 1, 3

③ 2, 1, 5
4, 7, 9
8, 3, 6

36쪽

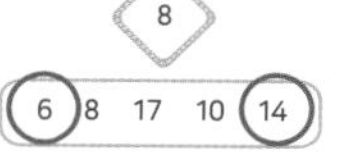

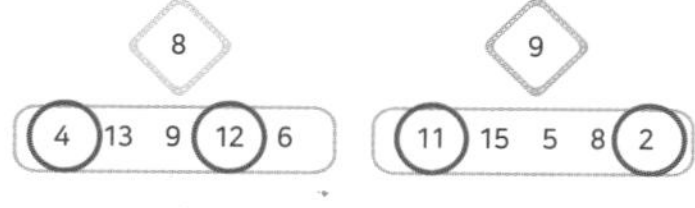

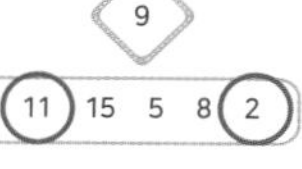

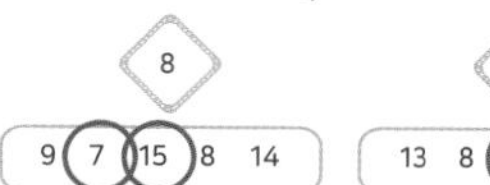

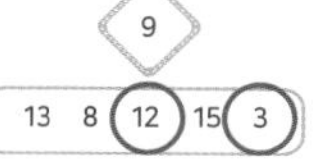

37쪽

① 14-8=6, 6

38쪽

① 13-8=5, 5

② 17-9=8, 8

39쪽

① 12-8=4, 4

② 15-9=6, 6

③ 11-8=3, 3

40쪽

① 16-9=7, 7

② 17-8=9, 9

③ 15-8=7, 7

3주차 - 빼기 7, 6

42쪽

① 5, 2
2, 8

② 3, 3
3, 7

③ 4, 2
2, 8

43쪽

① 2
3, 2, 5

② 1
4, 1, 5

③ 3
3, 3, 6

④ 2
4, 2, 6

⑤ 3
4, 3, 7

44쪽

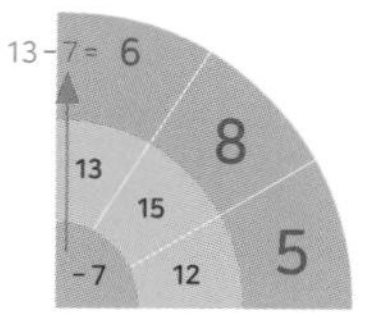

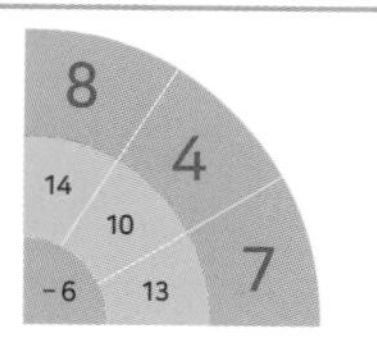

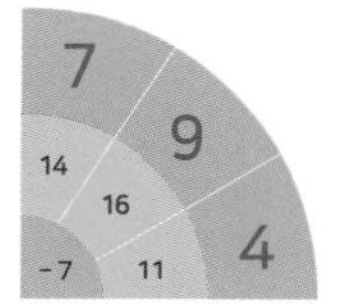

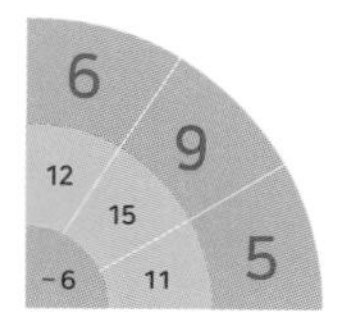

45쪽

① 0

② 1

③ 2

④ 3

⑤ 4

⑥ 5

⑦ 6

⑧ 7

⑨ 8

⑩ 9

46쪽

① 0

② 1

③ 2

④ 3

⑤ 4

⑥ 5

⑦ 6

⑧ 7

⑨ 8

⑩ 9

47쪽

① 6 ② 6

③ 8 ④ 7

⑤ 4 ⑥ 4

⑦ 5 ⑧ 3

⑨ 9 ⑩ 3

⑪ 7 ⑫ 8

⑬ 5 ⑭ 9

⑮ 6 ⑯ 6

48쪽

① 9, 8 ② 10, 9, 8

③ 3, 4, 5 ④ 4, 5, 6

⑤ 10, 11, 12 ⑥ 0, 1, 2

⑦ 3, 5, 7 ⑧ 4, 6, 8

⑨ 10, 8, 6 ⑩ 10, 7, 5

49쪽

① 1 ② 5

③ 5 ④ 7

⑤ 2 ⑥ 8

⑦ 4 ⑧ 4

⑨ 3 ⑩ 2

⑪ 6 ⑫ 9

⑬ 7 ⑭ 3

⑮ 8 ⑯ 6

50쪽

15-7=8	12-7=5	12-6=6
14-6=7	12-7=6	14-7=7
11-7=4	11-6=5	15-6=9
16-7=9	15-6=8	16-7=8
13-6=7	13-7=6	14-6=8

13-7=6	11-7=4	14-6=8
15-6=9	12-7=6	13-6=6
15-7=8	12-7=5	14-7=7
14-7=8	15-7=9	11-6=5
12-6=6	16-7=9	13-6=7

51쪽

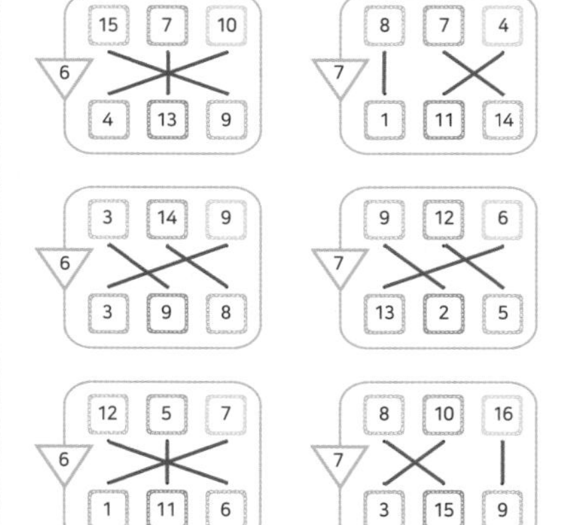

52쪽

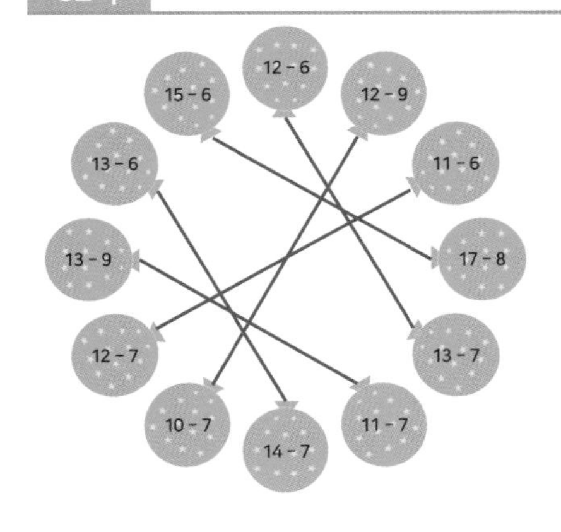

53쪽

① 15-7=8, 8

54쪽

① 15-6=9, 9

② 13-7=6, 6

③ 12-6=6, 6

55쪽

① 11-6=5, 5

② 14-6=8, 8

③ 12-7=5, 5

56쪽

① 10-6=4, 4

② 14-7=7, 7

③ 16-7=9, 9

4주차 - 도전! 계산왕

58쪽

① 9
② 8 / 2, 2
③ 9 / 1, 1
④ 6 / 1, 4
⑤ 9 / 3, 1
⑥ 8 / 3, 2
⑦ 7 / 2, 3
⑧ 8 / 1, 2
⑨ 9 / 4, 1
⑩ 7 / 1, 3
⑪ 9 / 7, 1
⑫ 9 / 5, 1
⑬ 8 / 6, 2
⑭ 9 / 8, 1

59쪽

① 4
② 3 / 1, 10
③ 4 / 3, 10
④ 5 / 4, 10
⑤ 5 / 2, 10
⑥ 6 / 1, 10
⑦ 3 / 2, 10
⑧ 6 / 4, 10
⑨ 6 / 5, 10
⑩ 2 / 1, 10
⑪ 5 / 1, 10
⑫ 6 / 2, 10
⑬ 5 / 3, 10
⑭ 4 / 1, 10

60쪽

① 8
② 9 / 5, 1
③ 9 / 3, 1
④ 8 / 1, 2
⑤ 8 / 4, 2
⑥ 8 / 3, 2
⑦ 9 / 1, 1
⑧ 8 / 6, 2
⑨ 9 / 4, 1
⑩ 7 / 2, 3
⑪ 9 / 7, 1
⑫ 8 / 5, 2
⑬ 9 / 8, 1
⑭ 7 / 3, 3

61쪽

① 5
② 3 / 1, 10
③ 3 / 2, 10
④ 5 / 4, 10
⑤ 2 / 1, 10
⑥ 6 / 3, 10
⑦ 5 / 2, 10
⑧ 4 / 3, 10
⑨ 5 / 1, 10
⑩ 6 / 5, 10
⑪ 6 / 4, 10
⑫ 4 / 2, 10
⑬ 4 / 1, 10
⑭ 6 / 2, 10

62쪽

① 9
② 7 / 1, 3
③ 9 / 7, 1
④ 9 / 4, 1
⑤ 8 / 3, 2
⑥ 9 / 2, 1
⑦ 7 / 3, 3
⑧ 7 / 4, 3
⑨ 9 / 8, 1
⑩ 9 / 6,1
⑪ 7 / 5, 3
⑫ 9 / 5, 1
⑬ 8 / 6, 2
⑭ 8 / 7, 2

63쪽

① 5
② 4 / 2, 10
③ 6 / 5, 10
④ 4 / 3, 10
⑤ 5 / 1, 10
⑥ 3 / 1, 10
⑦ 5 / 3, 10
⑧ 3 / 2, 10
⑨ 5 / 4, 10
⑩ 2 / 1, 10
⑪ 6 / 1, 10
⑫ 6 / 2, 10
⑬ 6 / 4, 10
⑭ 4 / 1, 10

64쪽

① 6
② 7 / 2, 3
③ 9 / 1, 1
④ 9 / 5, 1
⑤ 8 / 7, 2
⑥ 8 / 3, 2
⑦ 8 / 2, 2
⑧ 9 / 6, 1
⑨ 8 / 6, 2
⑩ 9 / 8, 1
⑪ 7 / 1, 3
⑫ 8 / 5, 2
⑬ 9 / 2, 1
⑭ 8 / 4, 2

65쪽

① 3
② 3 / 2, 10
③ 4 / 3, 10
④ 5 / 2, 10
⑤ 6 / 5, 10
⑥ 6 / 4, 10
⑦ 4 / 2, 10
⑧ 5 / 3, 10
⑨ 4 / 1, 10
⑩ 6 / 2, 10
⑪ 5 / 4, 10
⑫ 6 / 3, 10
⑬ 5 / 1, 10
⑭ 2 / 1, 10

66쪽

① 7
② 9 / 3, 1
③ 9 / 2, 1
④ 8 / 2, 2
⑤ 8 / 4, 2
⑥ 9 / 5, 1
⑦ 8 / 3, 2
⑧ 8 / 6, 2
⑨ 9 / 7, 1
⑩ 7 / 6, 3
⑪ 8 / 7, 2
⑫ 9 / 4, 1
⑬ 9 / 1, 1
⑭ 9 / 6, 1

67쪽

① 5
② 6 / 4, 10
③ 4 / 3, 10
④ 5 / 3, 10
⑤ 4 / 2, 10
⑥ 2 / 1, 10
⑦ 4 / 1, 10
⑧ 3 / 2, 10
⑨ 6 / 3, 10
⑩ 6 / 1, 10
⑪ 5 / 4, 10
⑫ 6 / 2, 10
⑬ 6 / 5, 10
⑭ 5 / 1, 10

5주차 - 빼기 5

70쪽

① 2 / 5, 2, 7
② 1 / 5, 1, 6
③ 4 / 5, 4, 9

71쪽

① 0
② 1
③ 2
④ 3
⑤ 4
⑥ 5
⑦ 6
⑧ 7
⑨ 8
⑩ 9

72쪽

① 5 ② 3
③ 1 ④ 6
⑤ 9 ⑥ 7
⑦ 4 ⑧ 2
⑨ 1 ⑩ 8
⑪ 0 ⑫ 9
⑬ 7 ⑭ 5
⑮ 3 ⑯ 6

73쪽

① 3, 13
② 5, 15　③ 0, 10
④ 9, 19　⑤ 2, 12
⑥ 6, 16　⑦ 8, 18
⑧ 4, 14　⑨ 1, 11

74쪽

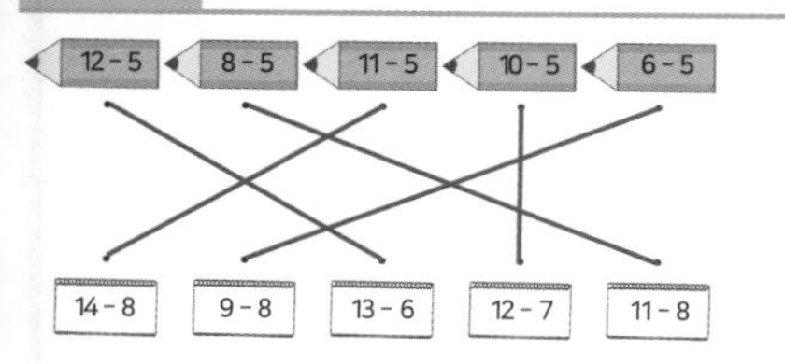

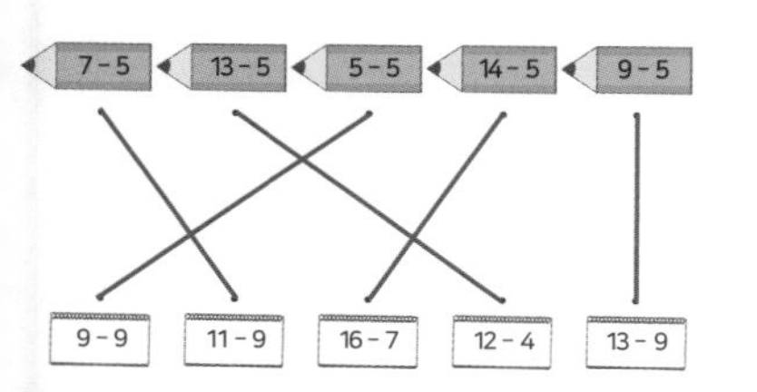

75쪽

① 5　② 3
③ 2　④ 6
⑤ 8　⑥ 4
⑦ 9　⑧ 1
⑨ 3　⑩ 0
⑪ 6　⑫ 8
⑬ 7　⑭ 2
⑮ 3　⑯ 5

76쪽

① 7　② 8
③ 8　④ 7
⑤ 4　⑥ 9
⑦ 9　⑧ 8
⑨ 9　⑩ 6

77쪽

① 7　② 6
③ 8　④ 9
⑤ 9　⑥ 8
⑦ 8　⑧ 6
⑨ 9　⑩ 9

78쪽

① 7　② 3
③ 8　④ 7
⑤ 8　⑥ 9
⑦ 6　⑧ 7
⑨ 6　⑩ 7

79쪽

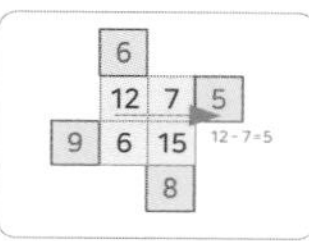
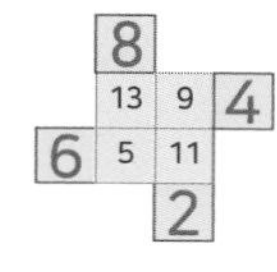
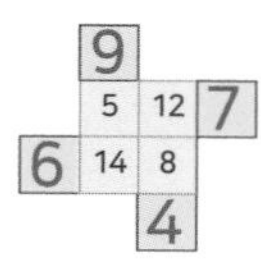
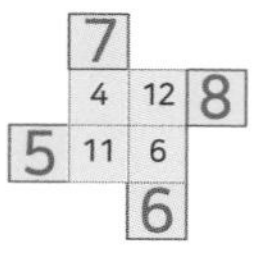

80쪽

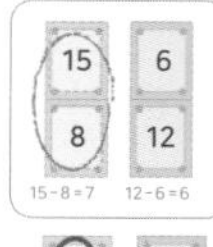
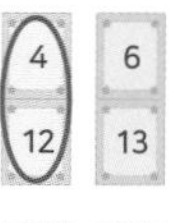
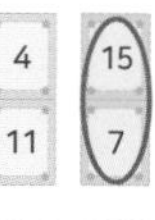
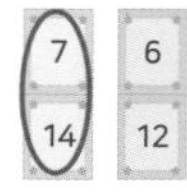

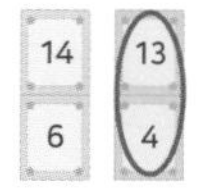
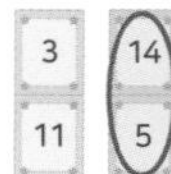
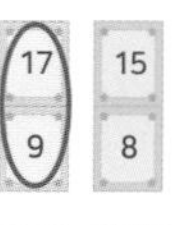
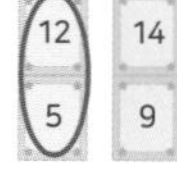
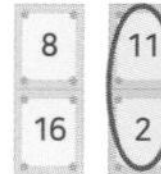
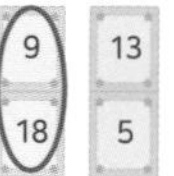
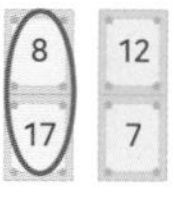

81쪽

① 14-5=9, 9

82쪽

① 12-7=5, 5
② 12-9=3, 3

83쪽

① 13-5=8, 8
② 12-3=9, 9
③ 8-2=6, 6

84쪽

① 15-9=6, 6
② 12-5=7, 7
③ 15-6=9, 9

6주차 - 도전! 계산왕

86쪽

① 8　② 3　③ 8
④ 5　⑤ 3　⑥ 5
⑦ 7　⑧ 9　⑨ 2
⑩ 7　⑪ 8　⑫ 4
⑬ 5　⑭ 6　⑮ 9
⑯ 6　⑰ 8　⑱ 5
⑲ 8　⑳ 7　㉑ 6
㉒ 6　㉓ 9　㉔ 8

87쪽

① 3 ② 6 ③ 5
④ 7 ⑤ 6 ⑥ 9
⑦ 9 ⑧ 8 ⑨ 6
⑩ 8 ⑪ 9 ⑫ 9
⑬ 7 ⑭ 4 ⑮ 5
⑯ 7 ⑰ 9 ⑱ 6
⑲ 7 ⑳ 5 ㉑ 6
㉒ 9 ㉓ 4 ㉔ 8

88쪽

① 8 ② 7 ③ 9
④ 9 ⑤ 7 ⑥ 6
⑦ 5 ⑧ 4 ⑨ 7
⑩ 4 ⑪ 6 ⑫ 3
⑬ 5 ⑭ 6 ⑮ 9
⑯ 2 ⑰ 8 ⑱ 9
⑲ 8 ⑳ 5 ㉑ 7
㉒ 7 ㉓ 9 ㉔ 6

89쪽

① 4 ② 9 ③ 9
④ 8 ⑤ 5 ⑥ 6
⑦ 4 ⑧ 5 ⑨ 9
⑩ 8 ⑪ 8 ⑫ 7
⑬ 6 ⑭ 4 ⑮ 6
⑯ 6 ⑰ 9 ⑱ 3
⑲ 9 ⑳ 5 ㉑ 3
㉒ 6 ㉓ 7 ㉔ 2

90쪽

① 6 ② 8 ③ 9
④ 8 ⑤ 9 ⑥ 5
⑦ 3 ⑧ 3 ⑨ 7
⑩ 9 ⑪ 6 ⑫ 4
⑬ 6 ⑭ 5 ⑮ 9
⑯ 6 ⑰ 8 ⑱ 7
⑲ 5 ⑳ 9 ㉑ 8
㉒ 8 ㉓ 4 ㉔ 4

91쪽

① 8 ② 5 ③ 6
④ 5 ⑤ 9 ⑥ 6
⑦ 6 ⑧ 7 ⑨ 4
⑩ 9 ⑪ 8 ⑫ 9
⑬ 2 ⑭ 7 ⑮ 5
⑯ 9 ⑰ 3 ⑱ 7
⑲ 9 ⑳ 5 ㉑ 8
㉒ 7 ㉓ 4 ㉔ 3

92쪽

① 7 ② 5 ③ 9
④ 5 ⑤ 8 ⑥ 9
⑦ 4 ⑧ 4 ⑨ 8
⑩ 6 ⑪ 3 ⑫ 6
⑬ 9 ⑭ 6 ⑮ 9
⑯ 7 ⑰ 5 ⑱ 8
⑲ 8 ⑳ 7 ㉑ 8
㉒ 8 ㉓ 2 ㉔ 7

93쪽

① 3 ② 9 ③ 7
④ 8 ⑤ 8 ⑥ 5
⑦ 6 ⑧ 9 ⑨ 9
⑩ 5 ⑪ 9 ⑫ 7
⑬ 8 ⑭ 7 ⑮ 8
⑯ 9 ⑰ 5 ⑱ 9
⑲ 6 ⑳ 4 ㉑ 8
㉒ 6 ㉓ 8 ㉔ 7

94쪽

① 7 ② 9 ③ 4
④ 6 ⑤ 9 ⑥ 5
⑦ 9 ⑧ 9 ⑨ 5
⑩ 6 ⑪ 3 ⑫ 8
⑬ 9 ⑭ 6 ⑮ 4
⑯ 8 ⑰ 6 ⑱ 5
⑲ 8 ⑳ 7 ㉑ 3
㉒ 8 ㉓ 8 ㉔ 7

95쪽

① 9 ② 9 ③ 7
④ 9 ⑤ 5 ⑥ 6
⑦ 4 ⑧ 7 ⑨ 4
⑩ 7 ⑪ 6 ⑫ 6
⑬ 9 ⑭ 5 ⑮ 4
⑯ 5 ⑰ 9 ⑱ 8
⑲ 3 ⑳ 9 ㉑ 8
㉒ 6 ㉓ 2 ㉔ 8

총괄 테스트 정답

초등 원리셈 1학년 3권 뺄셈구구

총괄 테스트

이름　　점수

01 빼는 수를 갈라 빼어서 10을 만들고 남은 수를 한 번 더 빼면 편리합니다. 빈칸에 알맞은 수를 써넣으세요.

14 - 5
14 - [4] - [1]
10 - [1] = [9]

02 빼는 수를 둘로 갈라 10을 만들어 뺄셈을 하세요.

11 - 3 = [8] (1, 2)　　13 - 5 = [8] (3, 2)

03 통나무를 둘로 잘랐습니다. 빈칸에 알맞은 수를 구하세요.

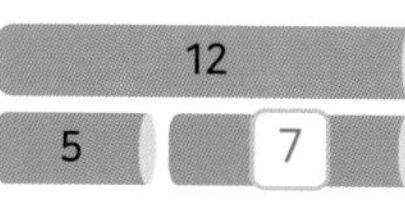

04 계산해 보세요.

① 7 - 2 = 5　② 12 - 4 = 8

③ 11 - 3 = 8　④ 10 - 2 = 8

05 답이 틀린 것을 찾아 바르게 고쳐 보세요.

9 - 4 = 5
12 - 3 = 9
7 - 2 = 5
13 - 4 = ~~8~~ 9

06 큰 수를 뺄 때는 10에서 빼는 것이 편리합니다. 빈칸에 알맞은 수를 써넣으세요.

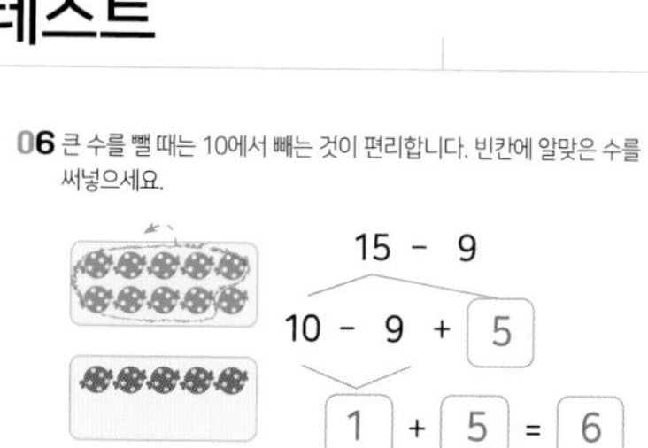

15 - 9
10 - 9 + [5]
[1] + [5] = [6]

07 빼어지는 수를 둘로 갈라 10에서 빼어 뺄셈을 하세요.

12 - 9 = [3] (2, 10)　　13 - 8 = [5] (3, 10)

08 계산해 보세요.

① 17 - 9 = 8　② 10 - 8 = 2

③ 14 - 9 = 5　④ 15 - 8 = 7

09 계산 결과에 알맞게 길을 그려 보세요.

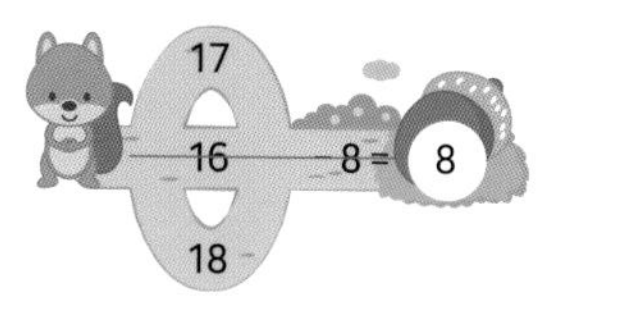

10 경호는 색종이를 18장 가지고 있었는데 이 중 9장을 친구에게 주었습니다. 남은 색종이는 몇 장일까요?

식: 18 - 9 = 9

답: 9 장

11 빈칸에 알맞은 수를 써넣으세요.

15 - 7
15 - [5] - [2]
10 - [2] = [8]

12 빈칸에 알맞은 수를 써넣으세요.

14 - 6
10 - 6 + [4]
[4] + [4] = [8]

13 계산해 보세요.

① 13 - 6 = 7　② 10 - 7 = 3

③ 11 - 6 = 5　④ 16 - 7 = 9

14 규칙에 알맞게 빈칸에 알맞은 수를 써넣으세요.

-	16	17	18
7	9	10	11

16 - 7

15 시연이가 수학 시험을 봤는데 14문제 중에서 7문제를 틀렸습니다. 시연이가 맞힌 문제는 몇 문제일까요?

식: 14 - 7 = 7

답: 7 문제

16 빈칸에 알맞은 수를 써넣으세요.

12 - 5
10 - 5 + [2]
[5] + [2] = [7]

17 계산해 보세요.

① 7 - 5 = 2　② 10 - 5 = 5

③ 11 - 5 = 6　④ 14 - 5 = 9

18 5 작은 수와 5 큰 수를 구해 보세요.

19 빈칸에 알맞은 수를 써넣으세요.

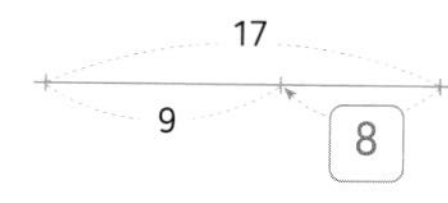

20 두 수의 차가 더 큰 것에 ○표 하세요.

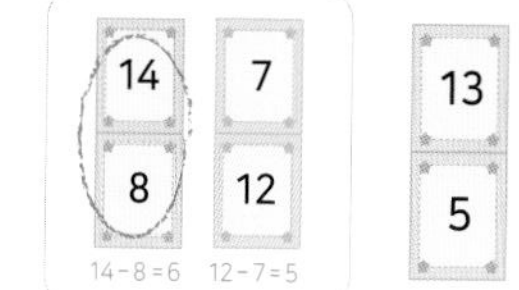

원리 이해

다양한 계산 방법

충분한 연습

성취도 확인

- 마술 같은 논리 수학 **매직**

전 영역에 걸쳐 균형 있는 논리력, 문제해결력 기르기

- 생각하고 발견하는 수학 **로지카**

최고 수준 학습을 위한 사고력, 문제해결력 기르기

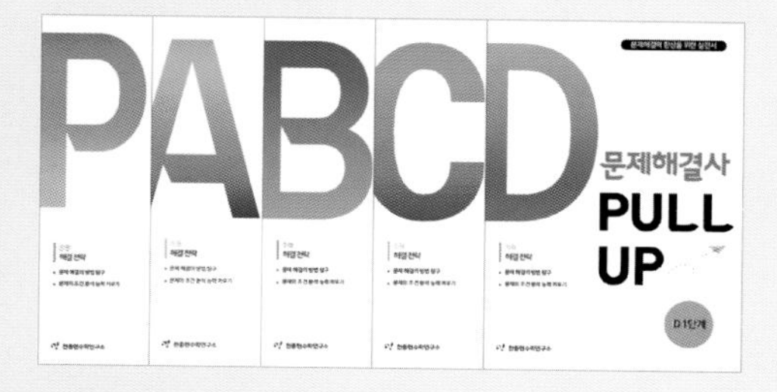

- 문제해결력 향상을 위한 실전서

문제해결사 PULL UP

학년별 실전 고난도 문제해결을 위한 브릿지 학습

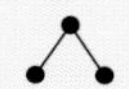

천종현수학연구소의 학원 프로그램, **로지카 아카데미**

"수학으로 세상을 다르게 보는 아이로!"
"생각하고 발견하는 수학, **로지카 아카데미**에서 시작하세요."

20년 차 수학교육전문가 천종현 소장과 함께 생각하는 힘을 기를 수 있는 곳, 로지카 아카데미입니다. 생각하고 발견하는 수학을 통해 아이들은 새로운 세상을 만나게 될 것입니다. 오늘부터 아이의 수학 여정을 로지카 아카데미와 함께하세요.

▶ ▷ ▷ ▷ **로지카 아카데미** www.logicaedu.kr

천종현수학연구소의 교재 흐름도

	4세	5세	6세	7세	초 1
출판 교재					
유자수 · 탑사고력	 만 3세	 만 4세	 만 5세	 K단계	 P단계
원리셈		 5, 6세	 6, 7세	 7, 8세	 초등 1
교과셈					 초등 1
따풀				 7세	 초등 1
학원 교재					
매직 · 로지카			 K단계	 P단계	 A단계
풀업				 P단계	 A단계